L' Alhambra

VUE DE PRÈS

NOUVEAU GUIDE DE LA
VISITE
DE L'ALHAMBRA
ET DU GENERALIFE

Traduction de Frédérique Baile

Direction: J. Agustín Núñez Guarde
Edition et production: EDILUX s.l.
Photomécanique:EDILUX s.l.
Mise en page, maquette et dessins: Miguel Salvatierra
Photographie: Miguel Román et J. Agustín Núñez
Textes: Aurelio Cid Acedo et Edilux
Supervision des textes: Daniel Grammatico
Imprimerie: Copartgraf s.c.a.
Reliure: Hermanos Olmedo s.l.
ISBN: 84-87282-37-7
Dépôt Légal: GR-1462-000
Granada, 2006

e-mail: edilux@alhambrabooks.com
www.alhambrabooks.com
www.andaluciabooks.com

CONTENUS

Certains noms en espagnol sont respectés pour faciliter leur repérage dans l'enceinte. Bien souvent il n'existe pas de traduction car il s'agit de noms propes et dans d'autres cas seule une équivalence approximative est indequée.

Information

www.alhambra-patronato.es. Tlf+34902441221

HORAIRES DE VISITE

De 8h30 à 20h en été et de 8h30 à 18h en hiver Ouvert toute l'année sauf le 25 décembre et le 1er janvier.

Billets d'entrée:

- Dans **le pavillon d'entrée**, près du parking et de l'entrée au Generalife.
- **Vente anticipée** dans certaines banques (BBV) et agences de voyages.

Il faut compter au moins une demi journée pour la visite de l'ensemble de l'Alhambra. **L'accès aux Palais Nasrides n'est autorisée que pendant la demi-heure indiquée sur le billet.** Aucun billet n'est nécessaire pour visiter certaines zones de l'ensemble: Bois, Portes, Palais de Charles V. Voir les plans pages 6-7 et 26-27 où sont signalés les points de contrôle d'accès. Depuis l'an 2000 il existe un "bono turístico", un billet groupé pour la visite de plusieurs monuments de la ville.

Visites nocturnes: mardi, jeudi et samedi en été; mardi et samedi en hiver. Les autres jours, des visites guidées sont organisées dans des zones non ouvertes au public et en nocturne. Consulter le Patronato de l'Alhambra (tlf.: +34958 027900)

OTHER SERVICES

Pendant la haute saison (horaire d'été), assistance de la Croix Rouge (tlf: +34-958 22 22 22)

Des guides professionnels, (160) dans toutes les langues et qualifiés, peuvent être contactés pour toute visite individuelle ou de groupe. (Tlf.: +34958 22 99 36 et +34607866698)
Email: apitgranada@hotmail.com

Dans les Palais, il est interdit de: manger, toucher les murs, s'appuyer sur les colonnes, fumer.
Téléphone du Patronato de lÁlhambra: +34958027900
Téléphone de l'Office du Tourisme: +34958 22 66 88
Téléphone de l'Office du Tourisme de l'Andalousie: +34958 22 10 22

N.B.Il existe un bon touristique en vente aux guichets des principaux monuments et dans quelques banques de la ville et dans la Chapelle Royal. Il donne accès aux principaux monuments de Grenade y compris l'Alhambra, et une réduction sur les transports publics.

COMMENT ARRIVER

Directement à l'Alhambra depuis l'extérieur de la ville.

Depuis Madrid, Cordoue/Malaga/Séville et Alméria/Murcie prendre d'abord le périphérique "Circunvalación" direction Motril-Sierra Nevada puis "Ronda Sur" (direction Sierra-Nevada). Après le tunnel le nouvel accès à l'Alhambra, bien indiqué, conduit directement au parking.

Au centre urbain et de là à l'Alhambra

Les sorties A et B de la voie de contournement "Circunvalación" permettent d'arriver par les itinéraires signalés jusqu'aux parkings de Av. de la Constitución et de S.Agustin (près de Gran Vía). Les sorties E et F conduisent par le chemin le plus simple au parking de Puerta Real, coeur de la ville. Il n'est pas recommandé de monter en voiture depuis le centre jusqu'à l'Alhambra, mais le chemin est le suivant: Paseo del Salón-Cuesta Escoriaza-Vistillas-Caidero (voir plan page suivante). Il faut aller jusqu'au parking.

Accès piétons indiqués sur le plan des pages suivantes

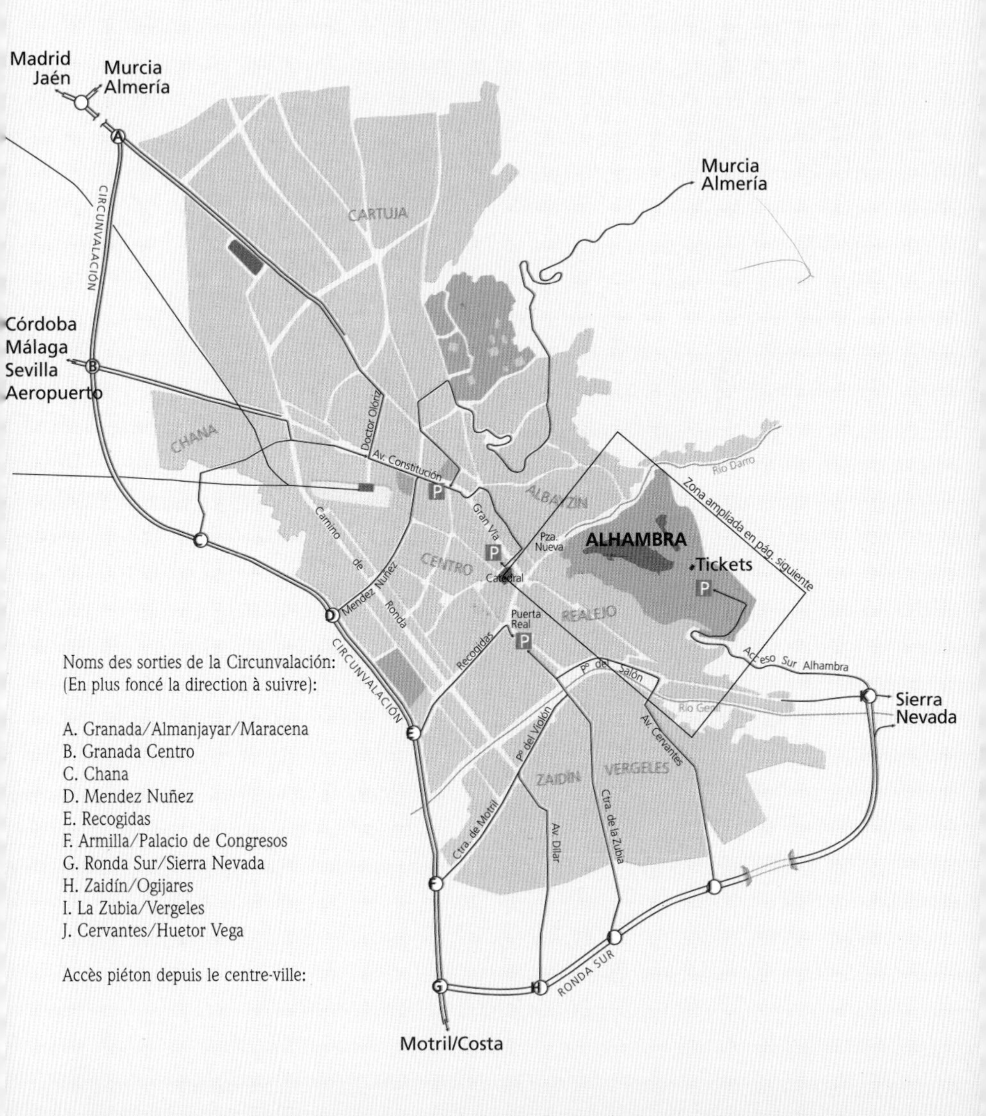

Accès piéton depuis le centre-ville:

1 Une agréable promenade depuis **Plaza Nueva** par la **Cuesta de Gomérez**. Vous franchirez la Puerta de la Granadas et profiterez du magnifique Bois de l'Alhambra. C'est le chemin le plus court pour arriver à la Porte de la Justice et aux Palais si vous avez déjà votre billet.

2 La **Cuesta del Realejo**, des escaliers au début mais la route la plus pittoresque. La masse rougeâtre de l'hôtel Palace sert de repère, de même que pour le chemin suivant.

3 Montée depuis le **Campo del Príncipe**.

4 La **Cuesta de los Chinos**, il vaut mieux l'emprunter pour descendre. Elle vous conduira jusqu'au Paseo de los Tristes, bon endroit pour reprendre des forces dans ses bars et terrasses.

Autobus. N° 30 depuis Plaza Isabel la Católica et Plaza Nueva. Microbus Alhambra-Albaicín.

Taxis. Depuis Plaza Nueva par la Cuesta de Gomérez.

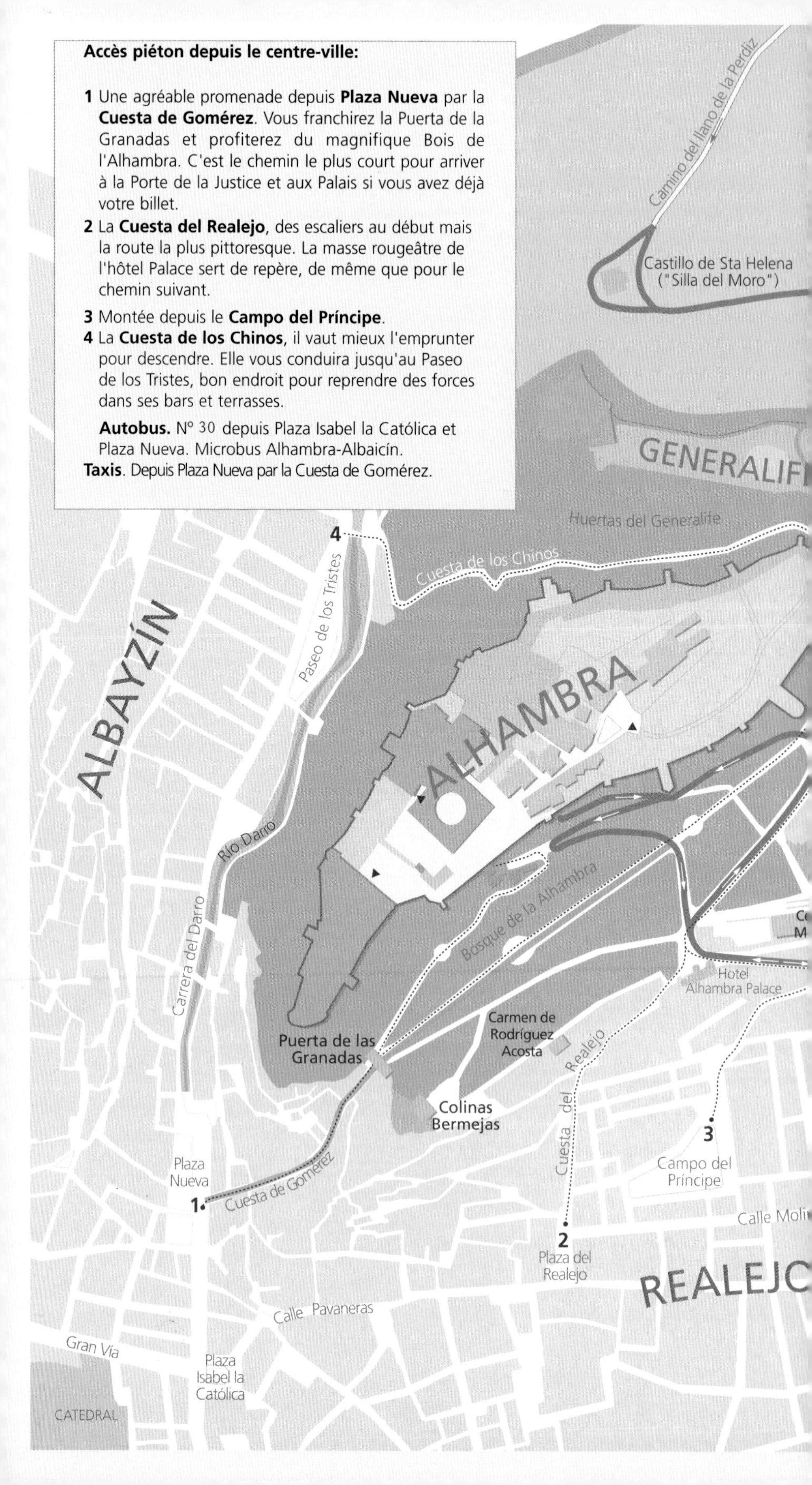

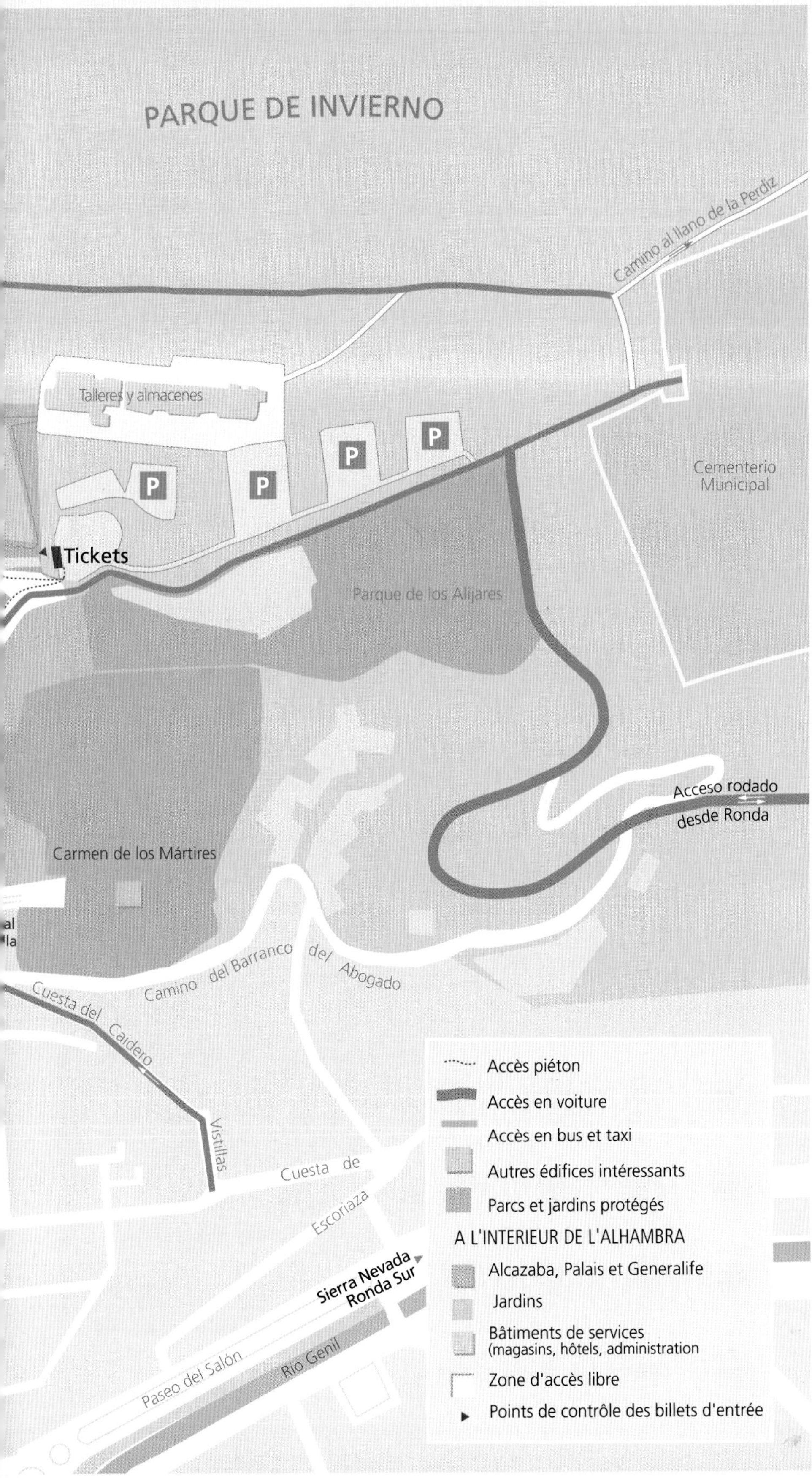

PARQUE DE INVIERNO

Camino al llano de la Perdiz

Talleres y almacenes

P

P

P

P

P

Cementerio Municipal

Tickets

Parque de los Alijares

Acceso rodado desde Ronda

Carmen de los Mártires

Camino del Barranco del Abogado

Cuesta del Caidero

Vistillas

Cuesta de Escoriaza

Sierra Nevada Ronda Sur

Paseo del Salón

Río Genil

Accès piéton

Accès en voiture

Accès en bus et taxi

Autres édifices intéressants

Parcs et jardins protégés

A L'INTERIEUR DE L'ALHAMBRA

Alcazaba, Palais et Generalife

Jardins

Bâtiments de services (magasins, hôtels, administration

Zone d'accès libre

Points de contrôle des billets d'entrée

Owen Jones y Goury, 1842

Introduction

Etablie sur la Colline Rouge ou de la Sabica, la citadelle de l'Alhambra se présente dresée, orgueilleuse et éternelle comme l'un des complexes architectoniques les plus importants du Moyen Age, chef d'oeuvre de l'art islamique en Occident.

La Colline où se dresse l'Alhambra, son sommet est à plus de sept cents mètres d'altitude, est le produit d'une dérivation torrentielle de Sierra Nevada formée par des détritus de schistes et de quartz. Plus récente que certains terrains qui entourent la Colline Rouge, elle est malgré tout assez ancienne pour que les dépôts alluviaux se soient durcis et, sans se transformer toutefois en une roche très dure, des cristallisations successives lui ont donné la résistance et la stabilité nécessaires. Si nous ajoutons à tout cela la richesse en matières ferrugineuses des terres, sur lesquelles s'élèvent l'Alhambra et son Alcazaba, qui enveloppent et se mélangent aux matériaux en les teintant de rouge, nous comprenons pourquoi la Colline Rouge a pu servir de piédestal ferme et solide à la citadelle pendant tant de siècles.

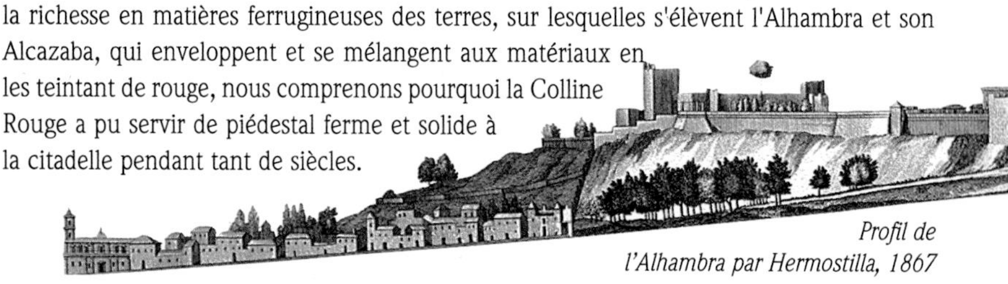

Profil de l'Alhambra par Hermostilla, 1867

Elle ressemble à un navire dont la proue, représentée par l'Alcazaba, pointe vers la ville. Sa longueur dépasse sept cents mètres, entre l'Alcazaba et la Tour du Cabo de la Carrera, et sa largueur maximum deux cents mètres, ce qui donne une superficie d'environ cent trente hectares inscrite dans un périmètre de murailles de plus de deux kilomètres (2.200 m.), renforcées par près de trente tours, dont certaines sont en ruine.

Il faut tenir compte d'un autre point, très souvent oublié. C'est celui de la place qu'occupe l'Alhambra dans l'architecture; place qui a toujours été sous-estimée. Nous devenons tous de simples touristes devant ce monument. Nous pouvons lire dans le "Manifeste de l'Alhambra", élaboré par un groupe d'architectes en 1953: "L'Alhambra est un monument qu'on ne regarde jamais du point de vue de l'architecte; plus encore, nous croyons même que les propres architectes, qui face à l'Escorial aiguisaient, pour ainsi dire, leur regard professionnel, une fois devant l'Alhambra relâchaient leur perspicacité plastique pour se mêler à la masse des touristes curieux. Ils en arrivaient même au point d'excuser leur complaisance par une division nette quant à la nature de leurs émotions: "Oui, cela me plâit, mais pas comme architecture"

L´Alhambra est un ensemble architectonique qui malgré toute sa vétusté, se caractérise par une grande modernité, en raison de sa conception et de sa construction. Nous pourrions citer un architecte contemporain de grand prestige, le Suisse Le Corbusier, qui allait trouver dans ce monument la concrétisation de sa définition de l'Architecture moderne, "la combinaison intelligente, correcte et magnifique de volumes unis sous la lumière", théorie établie comme étant la théorie idéale dans sa "Cité Moderne" (1922). Dans ses constructions, il essaie d'intégrer le jardin et le paysage aux intérieurs, et son module est toujours la hauteur de l'homme.
Voici quelques exemples des différentes solutions qui cautionnent la modernité de l'Alhambra: l'harmonie de l'asymétrie, l'alternance de lumières et d'ombres, la lumière qui rend légère la matière, la

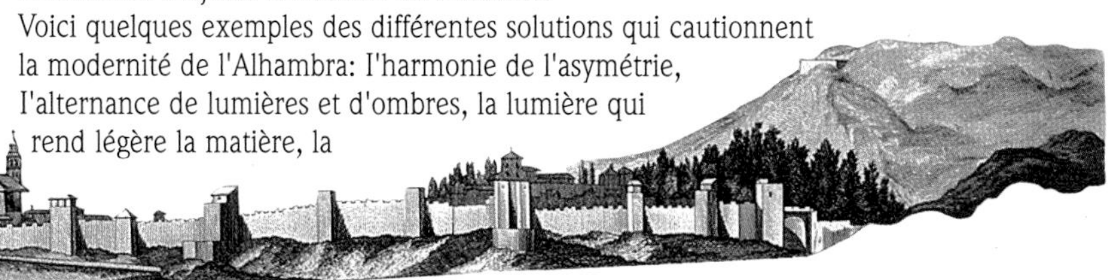

convergence dans certains points de la maison des perspectives du ciel, de l'eau et du paysage, la construction irrégulière, l'exploitation ingénieuse de la Nature dans l'organisation de l'édifice...D'après Prieto Moreno qui occupa longtemps le poste d'architecte-conservateur du monument. Il dit encore: "Nombre des valeurs architectoniques qui apparaissent dans l'Alhambra sont encore effectives, et considérées, bien évidemment comme des chefs-d'oeuvres". Une autre réussite, au niveau de la construction, est que les palais de l'Alhambra, bien qu'appartenant à des époques différentes et construits sur une base très irrégulière, conservent la perpendicularité des axes de leurs cours, ce qui donne l'impression d'un ensemble, à la fois régulier et harmonieux.

L'Alhambra ne fut pas projetée dès le début comme une unité composée de plusieurs constructions, mais seulement à partir d'une Alcazaba qui existait déjà au IXè s. Celle-ci avait servi de résidence à un chef militaire et en 1238 -Muhammad ben Yussuf ben Nasr seigneur d'Arjona- brillant vainqueur de son rival Ibn Hud, apparenté aux rois de Saragosse. A partir de la vieille forteresse, Nasr et ses successeurs commencèrent à construire de petits palais et des résidences, des bains et des mosquées, des écoles, etc., jusqu'à créer une véritable ville princière capable d'abriter une population aristocratique qui ne cessait de croître. La fin du règne de Muhammad ben Nasr -qui avait aidé Ferdinand III dans sa conquête de Séville (1248)- marque d'une part le début d'une période de paix garantie par une longue trève avec les Castillans, et d'autre part l'accroissement des nécessités diplomatiques et administratives de la cour d'un vaste royaume. Son territoire va de la frontière de Murcie à Gibraltar; les villages qui en marquaient les limites sont encore appelés "de la frontera" (de la frontière).

Un siècle plus tard, au cours des règnes des grands constructeurs Yussuf Ier et surtout à la fin de celui de son fils Muhammad V, l'Alhambra, vue de l'Albayzin ressemblait à un château blanc dressé sur une plinthe de végétation qui descendait jusqu'aux rives du Darro. Ce bois, une sorte de parc zoologique où les animaux vivaient en liberté, était le paysage quotidien que l'on pouvait admirer des innombrables fenêtres et miradors des alcazars. Depuis les fermes et les maisons de loisirs de la Vega, qui était alors une épaisse forêt d'arbres fruitiers cachant une zone habitée presque égale à celle de la ville -d'après Andrea Navagiero, Ambassadeur de Venise à la cour de Charles V.- l'Alhambra se détachait blanche et resplendissante aux lueurs du soleil couchant, tel un éclat de lumière dorée sur les jardins en terrasse du Généralife et de la Colline du Soleil, couronnée par les neiges de la Montagne du Soleil et de la Neige, Sierra Nevada, se découpant sur le bleu du ciel. Le revêtement blanc primitif apparaît encore clairement dans des zones plus ou moins grandes des murailles et les tours qui n'ont pas subi de grandes restaurations.

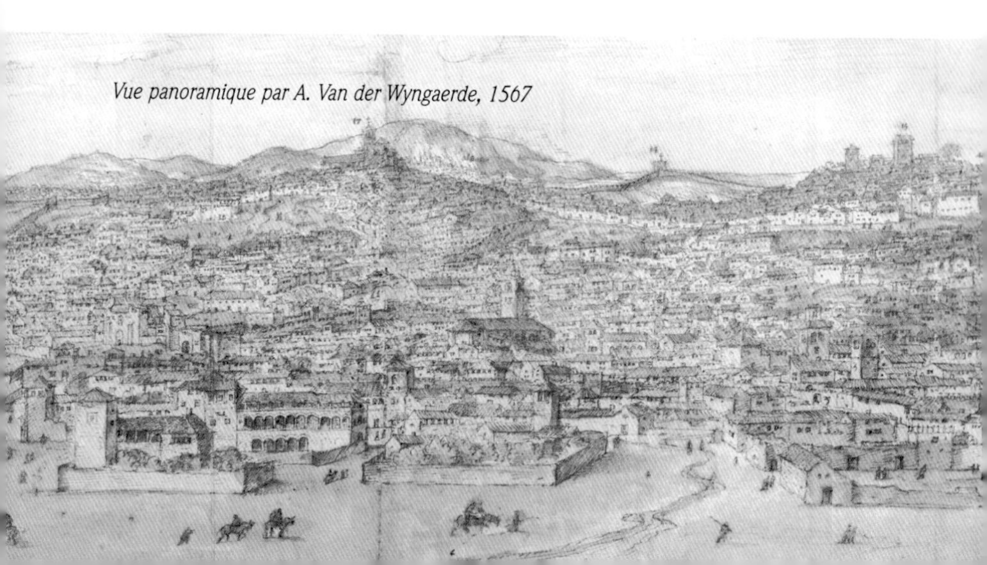

Vue panoramique par A. Van der Wyngaerde, 1567

"Contrastant avec toutes les résidences princières de l'Europe chrétienne, l'Alhambra n'a pas de façade, d'axe principal pour déterminer la disposition des édifices, de salles placées de manière à permettre le passage de l'une à l'autre.... Au lieu de cela d'étroits couloirs conduisent à des cours intérieures autour desquelles sont regroupées les habitations, presque par hasard; il est difficile d'imaginer quels mondes peuvent encore se cacher derrière ces murs. Cela rappelle le conte oriental du promeneur jeté dans un puits de sel: il y découvre un palais souterrain avec des vergers et des jeunes filles vierges. Il vit heureux pendant douze ans. Un jour, il ouvre une petite porte oubliée et découvre un autre palais encore plus magnifique...". (Titus Burkhardt)

Il ajoute: "L'architecture classique européenne pousse l'observateur à participer au jeu des forces statiques. Dans ce but, elle utilise d'abord la colonne semblable au corps humain pour l'idée de mouvement, en hauteur et de gravitation; puis les plinthes, les piliers, les arcs et les corniches accentuent ces forces agissant dans la construction. Rien de tout cela dans l'Alhambra. Là les surfaces, lisses et sans gravité des murs, sont percées: portes, fenêtres et arcades. On devrait y sentir un poids mais ces surfaces ne sont que travail de légers panneaux, de lumière, et les colonnes sont si fines que l'ensemble de la structure semble s'élever...".

Le même auteur ajoute: " L'architecture de l'Alhambra n'admet pas que l'observateur s'y introduise avec une attitude dramatique; elle n'augmente pas le vécu du pouvoir au-delà de la taille humaine; elle est si indifférente, claire et sereine tout comme cette géométrie à laquelle se réfère Platon quand il dit que personne ne doit entrer sans elle dans la maison de la sagesse..." (Titus Burckhart)

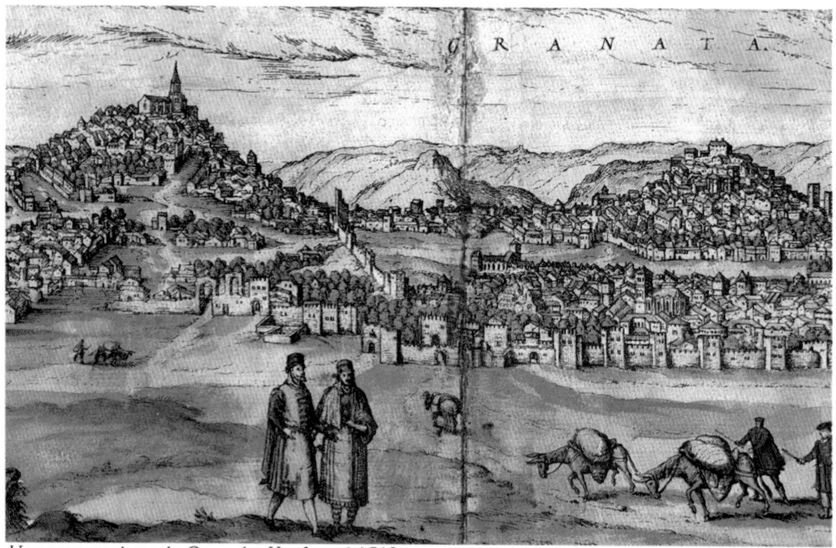

Vue panoramique de Grenade, Hoefnagel 1563.

Dans ce livre, nous emploierons presque toujours le terme musulman au lieu d'arabe pour parler des anciens habitants de la Medina Al-Hamrá. Le mot arabe s´applique, d´une certaine manière à une nationalité, et les créateurs de cette merveille du Moyen Age, l'Alhambra, étaient des Espagnols, descendants d'Espagnols qui parlaient l'arabe et pratiquaient la religion musulmane. Les créateurs de cette culture sans égale furent, en somme, le produit de cette heureuse fusion de races.

La note finale de la présentation de cette oeuvre pourraient être les dernières phrases que F. Villaespesa, originaire d'Almería, écrivit à propos de l'Alhambra et inscrites sur une plaque placée près de la porte des Grenades

"Même s'il ne restait que les ombres de ces murs, leur souvenir resterait à jamais impérissable, comme le refuge unique du rêve et de l'art. Alors le dernier rossignol vivant de ce Monde fabriquerait son nid et chanterait ses cantiques, tel un adieu, parmi les ruines glorieuses de l'Alhambra".

Histoire

L'Alhambra et ses artisans

L'Alhambra n'a pas surgi, complète et parfaite, à un moment donné de l'histoire. Elle est le résultat d'une activité constructive de trois siècles pendant l'étape andalusi, poursuivie à l'époque chrétienne presque jusqu'à nos jours. Exemple unique de l'art islamique qui enfonce ses racines dans des étapes antérieures de al-Andalus ainsi que dans des modèles persans et nord africains. L'influence chrétienne commence avant la conquête des Rois Catholiques dans les échanges culturels d'un monde médiéval ibérique. Connaître l'histoire des personnes qui l'ont érigée est indispensable pour comprendre l'Alhambra dans son intégralité.

TABLEAU CHRONOLOGIQUE

Année	*Règne*	*Espagne musulmane*	*Alhambra*	*Espagne chrétienne*
889	*Abd-Allah in Córdoba.*	*Guerres civiles entre musulmans et renégats chrétiens*	*Sawar ben Handum reconstruit l'Alcazaba*	*866-910, Alphonse III "le Grand".*
918	*From 912 'Abd-al Rahman III.*	*Mort d'Umar b.Hafsun 924 Bataille de Valdejunquera*		*914, León capitale du royaume Astur*
1212		*Bataille de las Navas de Tolosa.*		*1214,Mort d'Alphonse V[...] Fondation Université Salamanque.*
1238-1273	*Muhammad I founds Nasrid dynasty in Granada.*	*1238, Conquête de Valence. 1248, Séville. 1262, Niebla. (artillerie employée pour la 1ère fois)*	*Nouvelle reconstruction et agrandissement de l'Alcazaba.*	*1217-1252, Ferdinand III[...] 1252, Alphonse X. 1213-1276, Jacques Ier d'Aragon*
1273-1302	*Muhammad II*	*Benimerins viennent en aide à Muhammad II.*	*Puerta del Vino (?) Torre de los Picos.*	*1282-1302, Campagnes Pierre III d' Aragon. Roger de Lauria.*
1314-1325	*Isma'il I*	*Luttes civiles dans le Royaume de Grenade. 1319, Bataille d'Elvira.*	*1319, Date la plus ancienne Generalife. Salle Mexuar*	*1314-1325, Jacques II. 1324, Annexion Sardaign[...] couronne d'Aragon.*
1325-1333	*Muhammad IV*	*Reconquête de Gibraltar avec l'aide de l'Emir du Maroc.*	*Torre de las Damas.*	*1312-1350, Alphonse XI de Castille.*
1333-1354	*Yusuf I*	*1348-1351, Peste en Europe. 1344, conquête d'Algeciras par Alphonse XI.*	*1348, Puerta Justicia. Entre Alcazaba et Alcazars. Palais de Comares. Fondation Madraza.*	*1348, Alphonse XI: Lois Castille 1349, Alliance Castille-France.*
1354-1359/ 1362-1391	*Muhammad V*	*1368, reconquête d'Algeciras par Muhammad V.*	*Décore Cuarto Comares. Construit Cuarto de los Leones. Décore façade sud du Mexuar.*	*1350-1369, Pedro Ier 1366, Rebellion E. de Trastámara. Bertrand Duguesclin.*
1392-1408/ 1408-1417	*Muhammad VIII Yusuf III*	*1410, conquête d' Antequera.*	*Peintures Sala de los Reyes (fin XIVè s. ou début XVè s.)*	*1394, Papa Luna. 1412, Compr. Caspe. 14[...] Ferdinand d'Antequera R[...] Aragon.*
1429-1445	*2° reign of Muhammad IX*	*1431,Bataille de la Higueruela.*	*Torre de las Infantas.*	*1454-1474, Henri IV.*
1445-1461	*Sa'd*	*1448, Bataille d'Alporchones, près de Lorca.*		
1464-1485	*Muley-Hasan Mulhacén*	*1481, Les musulmans prennent Zahara: début de la guerre de Grenade.*		*1474, Isabelle Ière, reine Castille. 1469, Mariage avec Ferdinand d'Aragón[...]*
1464-1485/ 1482-1491	*Abu-Abd-illah Muhammad XII (Boabdil)*	*1492, Prise de Grenade. Fin de la domination arabe.*		*Les Rois Catholiques*

France	Angleterre	Allemagne
Les Arabes s'établissent en Suisse.	*878-900, Danois dans le NO de l'Angleterre. 871-900, Roi Alfred.*	*900, Les Hongrois en Bavière.*
924, Incursions hongroises en Bourgogne et Languedoc.	*900-940, Roi Edouard et Athekstan de Wessex. 1066 Guillaume le conquérant.*	*918, Henri Ier de Saxe roi d'Allemagne.*
1214, Philippe Auguste: Bataille de Bouvines.	*1215, Carta Magna. 1213, Le Roi Jean se soumet à Innocent III*	*1212, Début du règne de Frédéric II.*
1250, Croisade de Saint Louis en Egypte. 1265, Charles d' Anjou. 1270, Mort de Saint Louis.	*1261-1272, Règne d'Henri III*	*1241, Origines de la Hanse. 1247, Ligue du Rhin. 1248, Cathédrale de Cologne.*
Traité de Caltabello. Charles d'Anjou doit céder la Sicile.	*1272-1307, Règne d'Edouard I.*	*1273, Rodolphe de Habsbourg, empereur.*
1306-1311, Procès des templiers. Philippe IV "le Bel"	*1314, Victoire des Ecossais à Bannockbum contre l'Angleterre.*	*1316, Victoire de Brandenbourg contre coalition polaco-scandinave.*
1328, Extinction de la ligne directe des Capétiens. Philippe IV de Valois.	*1307-1327, Règne d'Edouard II. 1329, Indépendance de l'Ecosse.*	*1331, La ligue de Souabe s'oppose à la noblesse dominante.*
1349, Titre de Dauphin à l'héritier de la couronne. 1337, début de la Guerre de 100 ans.	*1320-1380, Wiclef y los "Lolards". 1346, Bataille de Crecy. 1347, Anglais à Calais.*	*1337, Alliance Louis de Bavière-Edouard III d'Angleterre. 1349, Charles IV fonde l'Université de Prague.*
1358, Rebellion paysanne: La Jacquerie". 1355. Etats Généraux.	*1380, La Flotte anglaise est battue sur la Tamise.*	*1356, Charles IV et la "Bulle d'or".*
1393, Luttes entre maisons d'Orléans et de Bourgogne.	*1415, Bataille d'Azincourt.*	*1410-1473 Sigismond empereur. 1410, Défaite de l'ordre teutonique en Prusse.*
1412-1431, Jeanne d'Arc 1428, Siège d' Orléans.	*1435, La Bourgogne se sépare de l'Angleterre.*	*1411-1440, Les Hoenzollern. 1438, Les Habsbourg.*
1450, Charles VII récupère la Normandie. 1453, Fin Guerre de 100 ans.	*1455-1485, Guerre des deux roses.*	
1481, Louis XI incorpore L'Anjou et la Provence.	*1477, Première imprimerie: Willian Caxton.*	*1477. Mariage entre Maximilien Ier et Marie de Bourgogne.*
1483, Charles VIII.	*1485, Henri VII. 1509 Henri VIII épouse Catherine d'Aragón, fille des Rois Catholiques.*	

AL-ANDALUS

En 711 les musulmans d'Afrique du Nord débarquent dans la Péninsule pour aider les partisans du roi Witisa contre le noble Rodéric. En trois ans, grâce à l'inefficacité militaire des chrétiens et la complaisance de la population, ils occupent presque toute la Péninsule. Dirigés par des Arabes, le plus gros du contingent est berbère.

Dans l'émirat dépendant de Damas et durant deux siècles, co-existent une société semi-féodale autour des anciens seigneurs chrétiens (muladíes), les structures tribales égalitaires des Berbères et les essais de constitution d' un état islamique dont l'axe est la centralisation administrative basée sur les impôts et le caractère urbain de la vie sociale.

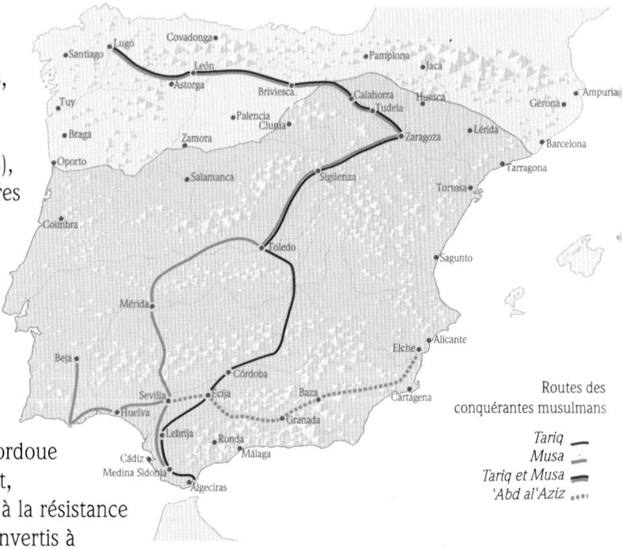

Routes des conquérantes musulmans

Abd al-Rahman III fonde à Cordoue en 929 le Califat Indépendant, consolidant les réformes face à la résistance des *muladíes* (les chétiens convertis à l'Islam) et le mécontentement des berbères écartés dans la répartition des terres. C'est alors le début de l'étape de plus grande splendeur de l'Islam andalou avec l'imposante mosquée de Cordoue et la ville royale de Madinat al-Zahra, siège du pouvoir califal. De nouvelles villes sont fondées ainsi que des structures militaires et civiles. Une armée disciplinée, des tribunaux où les alfaquies (jurisconsultes) appliquent le Coran aux litiges quotidiens, une administration centralisée et une tolérance raisonnable quant à la vie privée représentent des siècles d'avance par rapport à la situation des pays européens de l'époque.

De la fitna -révolte sociale qui précède le califat- datent les premières mentions de constructions sur la colline de l'Alhambra: une forteresse qui aurait résisté au siège du muladi Umar b.Hafsun.

Au début du XIè s., les rivalités entre groupes de pouvoir provoquent la division du califat en petits Royaumes de Taifas, pouvoirs locaux qui favorisent un renouveau culturel et urbain mais perdent du terrain face aux chrétiens. L'entrée d'Alphonse VI à Tolède en 1085 oblige à demander de l'aide aux Almoravides, tribu originaire du Maghreb. Rigoristes et guerriers, ils soumettent les divers taifas et frènent peu de temps les chrétiens avant d'être déplacés par les Almohades du nord de l'Afrique en 1146. Ces derniers récupèrent la domination d'une grande partie de la Péninsule, jusqu'en 1212 année où ils doivent s'incliner face aux Castillans, Aragonais, Navarrais et croisés européens lors de la bataille de las Navas de Tolosa près de Bailén. Cette date marque le début du déclin du pouvoir musulman dans la péninsule ibérique avec une seule parenthèse glorieuse, le règne nasride.

Les sources écrites décrivent le palais du vizir juif Samuel Ibn Nagrela (début du XIè s.) sur le terrain de l'Alhambra, aujourd'hui disparu.

Après l'offensive d'Alphonse XI au XIVè s., le royaume se trouve réduit au territoire englobant aujourd'hui les provinces de Grenade, de Malaga et d' Almeria. C'est-à-dire l'Andalousie montagneuse plus simple pour les Chrétiens de soumettre à tribut que de conquérir.

LE ROYAUME NASRIDE

Muhammad ibn al Ahmar, membre d'une famille aristocratique d'Arjona (Jaen), a combattu les incursions castillanes au début du XIIIè s. Convaincu de l'impossibilité de vaincre les chrétiens, il prend la tête d'un pacte entre plusieurs familles aristocratiques des territoires limitrophes et en 1246 il conclut un accord avec Ferdinand III qui permet la consolidation d'un royaume dans le sud de la Péninsule. Ce royaume s'étend d'Almeria au Détroit de Gibraltar et Grenade en est la capitale. Il est gouverné par les guerriers et les anciennes familles locales sont reléguées ou intégrées. On peut distinguer trois périodes dans l'histoire du royaume:

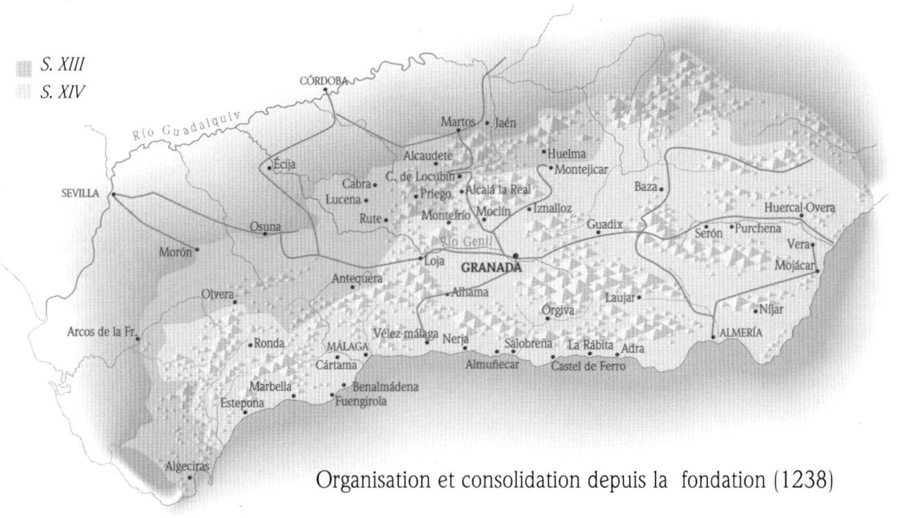

Organisation et consolidation depuis la fondation (1238)

1 Jusqu'en 1325. Le professeur Manuel Acién la décrit comme période de militarisme et de formes féodales externes (armes, équipement militaire...), et comme le résultat de la "contamination" des coutumes occidentales. Il ne s'agit pas exactement d'un processus de féodalisation, mais il est vrai que les liens de clans qui caractérisent les Arabes et les Berbères ont presque disparu à cette époque dû aux migrations des groupes de familles et à la pratique de l'exogamie. Pour cette raison, cette société, née 600 ans après l'invasion, est organisée sur la base de critères économiques et politiques de sorte que les familles au pouvoir deviennent une authentique noblesse, située au-dessus du reste de la population. Proches du pouvoir politique, on trouvait les fonctionnaires et liés à ces derniers les alfaquíes, interprètes du Coran, dont l'influence tendait à grandir.

L'Alcazaba représente "l'occidentalisation" formelle de cette période. La Torre de la Vela, construite par al.Ahmar est un exemple parfait de résidence féodale. On reconstruit ou transforme également d'autres tours de l'Alcazaba comme le donjon. A cette époque remontent les premières phases des "palais d'été", comme le Partal ou le Generalife, conçus eux sur le mode islamique traditionnel.

2 La période de splendeur coïncide avec un virage "islamisant" sous les règnes de Yusuf Ier (1333-54) et de son fils Muhammaf V (1354-91). Elle commence avec l'ascension de l'influence des Banu al-Sarray (Abencerages) et banu Kumasa, familles liées aux cercles des alfaquies, plus attachés au système andalusí traditionnel. Le sultan est le monarque absolu mais il délègue une partie de ses fonctions à des vizirs ou ministres. Une assemblée consultative, le Maylis, est composée de notables du royaume et il existe également un Tribunal de Justice. Le Trésor perçoit des impôts directs et des taxes sur le commerce, les bains, les successions, etc. A Grenade, on construit plusieurs édifices typiquement islamiques: la Madrasa (école coranique), le Maristan (hôpital), etc. La construction du quartier des marchands de soie et de halles aux grains, dont il reste celle appelée Corral del Carbón, relance le commerce.

3 Décadence. Au XVè s., les affrontements entre familles deviennent plus fréquents provoqués par l'absence d'une administration territoriale bien définie, entravée dans la pratique par la répartition du pouvoir entre les familles de guerriers. C'est dans ce contexte qu'a lieu la dernière guerre civile entre Muley-Abul Hassan (Mulhacen) et son propre fils Boabdil provoquée par Aixa, épouse du premier et mère du second, afin d'écarter la concubine chrétienne Isabelle de Solís qui brigue le trône pour son fils. En parallèle, ils s'affrontent aux Rois Catholiques bien décidés, après avoir pacifié leurs royaumes, à annexer le Royaume de Grenade. Ils y parviennent en 1492 avec des capitulations qui doivent normalement respecter les droits des conquis.

Yusuf Ier et Muhammad V convertissent l'Alhambra en une authentique "ville princière" pour répondre aux nécessités administratives croissantes du royaume. L'Alcazaba reste une enceinte purement militaire indépendante de la résidence privée (Palais de Comares) et du gouvernement (Salle du Mexuar). Seules quelques réceptions diplomatiques sont organisées dans le grand Salon du Trône appartenant à l'espace privé. Muhammad V complète cette division radicale entre privé et public car il occupe son propre palais -des Lions- et réserve Comares aux fonctions politiques.

Des palais d'autres familles importantes, une mosquée, des maisons particulières de fonctionnaires, soldats et artisans, des bains publics et privés sont construits peu à peu autours des Palais Royaux. A cette époque-là, l'accès normal à l'Alcazaba et aux Palais est la Porte des Armes au Nord, tandis que pour la ville princière il faut emprunter la Porte des Sept Etages, au Sud.

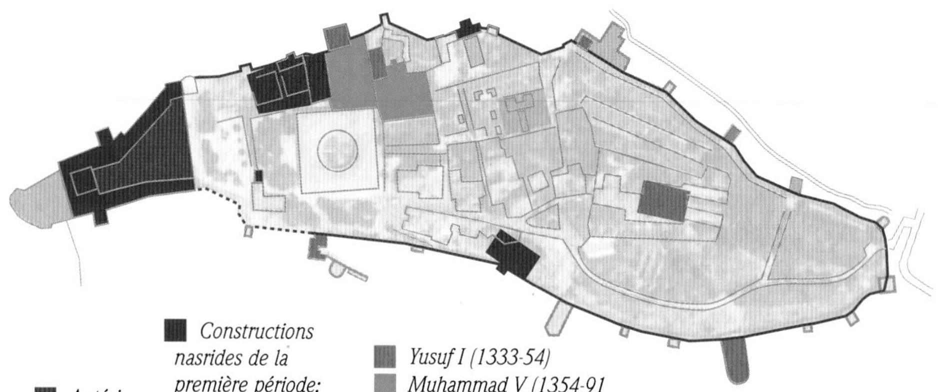

Antérieur aux nasrides: l'Alcazaba

Constructions nasrides de la première période: vestiges de l'Alcazaba, zone de Machuca, Mexuar, Puerta del Vino, divers palais aujourd'hui disparus - Arcade du Partal, Palais des Abencerages- et une première phase du Generalife.

Yusuf I (1333-54)
Muhammad V (1354-91
Constituent le centre des Palais. Il faut y ajouter la Porte de la Justice et celle des Sept Etages. Le Parador de tourisme occupe un palais de cette époque.

De la dernière période: les palais de Yusuf III qui occupaient la zone Jardins du Partal, les bastions dans les murailles et les tours/ habitations comme celle de Las Infantas.

Dans la forteresse, des travaux de consolidation et d'adaptation sont réalisés pour répondre aux nécessités des nouveaux usages militaires et les palais sont transformés pour les rendre habitables. La circulation dans la citadelle change une fois arrangé le chemin -Cuesta de Gómerez-, et l'entrée se fait par les Portes de la Justice ou du Vin, au sud de l'enceinte, au détriment de l'ancien accès par la Porte des Armes, au nord. La Porte des Grenades et la Fontaine de Charles V, construites par Tendilla, complètent de façon symbolique cette nouvelle orientation de l'espace.

L'ALHAMBRA CHRÉTIENNE.

En 1453, après des siècles de siège, Constantinople tombe aux mains des Turcs, terrible revers pour toute la Chrétienté, de sorte que la conquête de l'Alhambra, dernier bastion de L'Islam en Occident, équivaut à un contrecoup qui équilibre les rapports de forces.

Pour les Rois Catholiques c'est la réalisation du rêve castillan, la conquête du plus précieux des butins de guerre qu'il faut conserver et réadapter pour les générations à venir. C'est pour cette raison que leur petit-fils Charles V veut faire de l'Alhambra le centre de son empire, empire tourné vers l'Afrique, zone d'expansion logique face au pouvoir du Turc Soliman qui a osé assiéger Vienne. La découverte de l'Amérique provoque un déplacement de l'intérêt politique et économique vers l'Atlantique surtout après la défaite turque à Lépante. Philippe II continue l'oeuvre de son père mais ne l'achève pas.

Le jardin à l'extérieur de la Cour de Lindaraja est fermé par une galerie à arcades et les appartements de Charles V sont adossés à Comares.

Le Mexuar est transformé en chapelle et y est intégrée la petite cour qui avant permettait d'accéder à la Salle Dorée.

Edification d'un couvent franciscain en 1495 sur les vestiges d'un palais nasride.

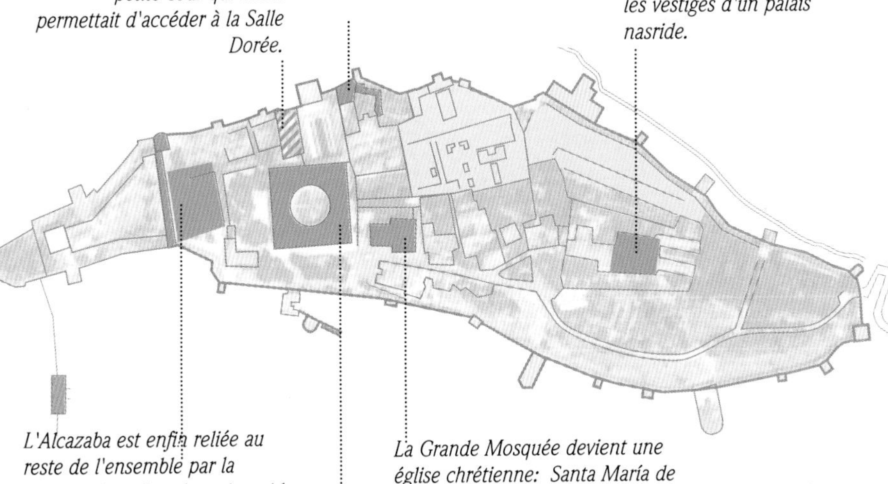

L'Alcazaba est enfin reliée au reste de l'ensemble par la construction, dans le ravin qui la séparait de la citadelle, d'une réserve d'eau et de la place. Les murailles sont fermées grâce à la réparation de quelques tours et en ajoutant -au XVIè s.- celle du Cabo ou de la Tahona.

La Grande Mosquée devient une église chrétienne: Santa María de la Alhambra.

On trace le Palais de Charles V, qui ne sera jamais achevé.

L'Alhambra d'aujourd'hui est le résultat d'un mélange de plusieurs influences au cours des siècles, qui ont modifié sa forme graduellement à partir d'un centre. Une section dans cette structure, une promenade guidée dans ses recoins, nous permettrait de comprendre non seulement la splendeur d'un moment concret, mais la succession de cultures qui l'ont composée. L'effort mérite la peine, car dans ce cas la compréhension intellectuelle passe par un chemin qui est un plaisir pour les sens et un éperon pour l'imagination.

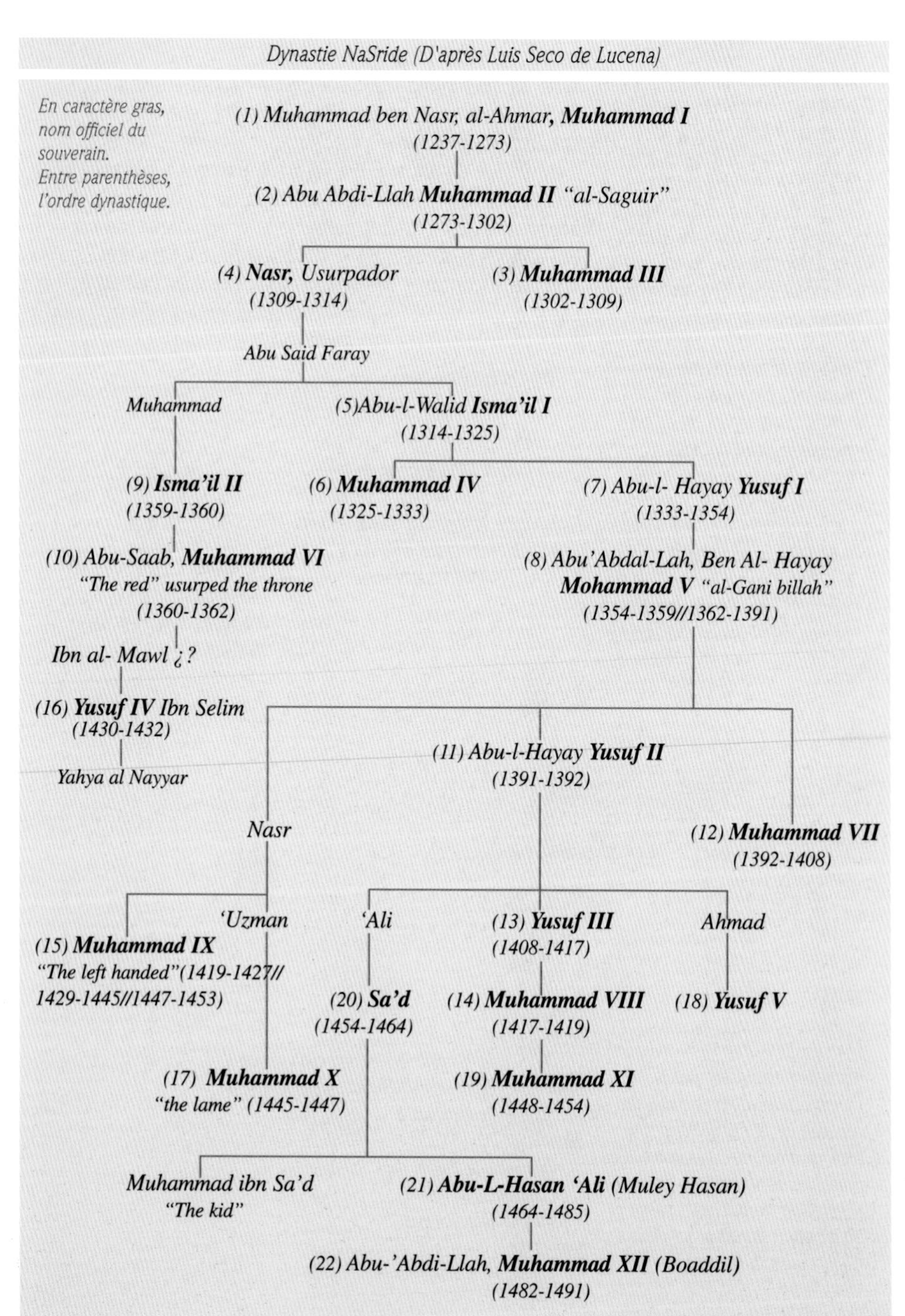

Dynastie NaSride (D'après Luis Seco de Lucena)

LA VISITE

L' Alhambra est un grand ensemble dont la visite en profondeur requiert une demi journée minimum. Un jour complet est conseillé. Un billet est nécessaire pour visiter les trois grandes zones principales: l'Alcazaba, les Palais Nasrides - avec les jardins du Partal- et le Généralife. L'entrée est libre pour le Palais de Charles V et le musée de l'Alhambra.

Le plan de la double page suivante donne une idée de l'ensemble. Les itinéraires pour se déplacer entre les différentes zones y sont indiqués. Il est très important de vérifier sur le billet l'heure d'entrée aux Palais Nasrides et d'organiser le reste de la visite à son goût.

ALBAYZÍN

Río Darro

Cuesta de los Chinos

Jardines del Partal

PALACIOS NAZARÍES

Sta. María de la Alhambra

Palacio de CARLOS V

Calle Real

Puerta del Vino

Plaza de los Aljibes

Puerta de la Justicia

Pilar de Carlos V

ALCAZABA

Acceso peatonal desde Cuesta de Gomérez

BOSQUE

Puerta de las Granadas

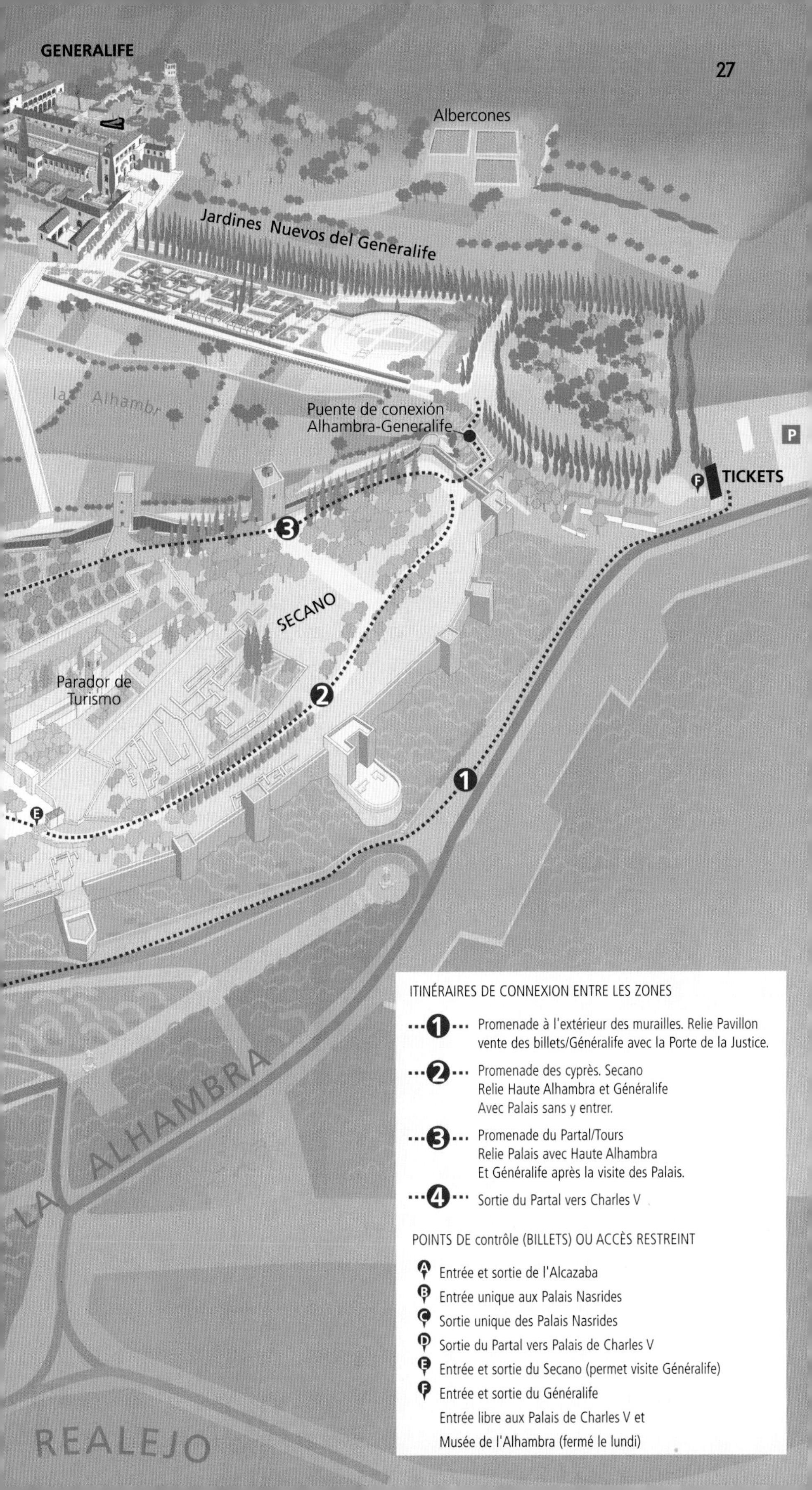
GENERALIFE
Albercones
Jardines Nuevos del Generalife
Puente de conexión
Alhambra-Generalife
P
TICKETS
SECANO
Parador de
Turismo
LA ALHAMBRA
REALEJO
ITINÉRAIRES DE CONNEXION ENTRE LES ZONES
1 Promenade à l'extérieur des murailles. Relie Pavillon vente des billets/Généralife avec la Porte de la Justice.
2 Promenade des cyprès. Secano
Relie Haute Alhambra et Généralife
Avec Palais sans y entrer.
3 Promenade du Partal/Tours
Relie Palais avec Haute Alhambra
Et Généralife après la visite des Palais.
4 Sortie du Partal vers Charles V
POINTS DE contrôle (BILLETS) OU ACCÈS RESTREINT
A Entrée et sortie de l'Alcazaba
B Entrée unique aux Palais Nasrides
C Sortie unique des Palais Nasrides
D Sortie du Partal vers Palais de Charles V
E Entrée et sortie du Secano (permet visite Généralife)
F Entrée et sortie du Généralife
Entrée libre aux Palais de Charles V et
Musée de l'Alhambra (fermé le lundi)

COMMENT UTILISER CES PAGES

L'ordre d'exposition suivi dans ce guide commence par la Fontaine de Charles V, où l'on arrive depuis la ville par Cuesta de Gómerez (accès piéton), ou depuis le pavillon d'entrée par l'itinéraire 1. Il continue par Porte de la Justice-Alcazaba-Palais Nasrides (Mexuar-Comares-Lions)-Partal-Itinéraire 3-Généralife-Secano-Itinéraire 2-Palais de Charles V, mais vous pouvez varier l'ordre et accéder directement à l'information sur chaque zone en consultant les tables des matières, aidé par les symboles visuels sur le bord des pages ou à partir de la table des matières à la fin du guide.

STRUCTURE DES CHAPITRES

Chaque chapitre commence par une page d'introduction.

Ensuite un plan où sont signalés les endroits objets d'une description précise dans les pages suivantes.

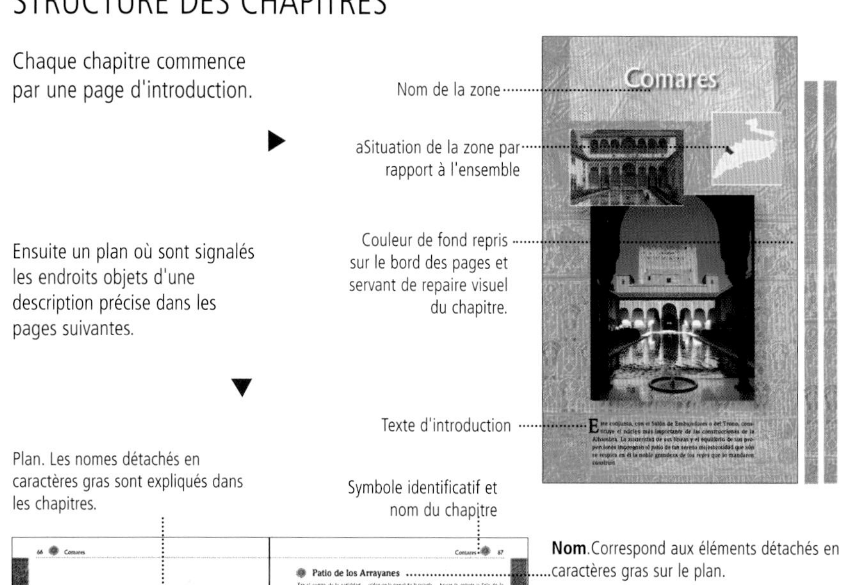

Plan. Les nomes détachés en caractères gras sont expliqués dans les chapitres.

Symbole identificatif et nom du chapitre

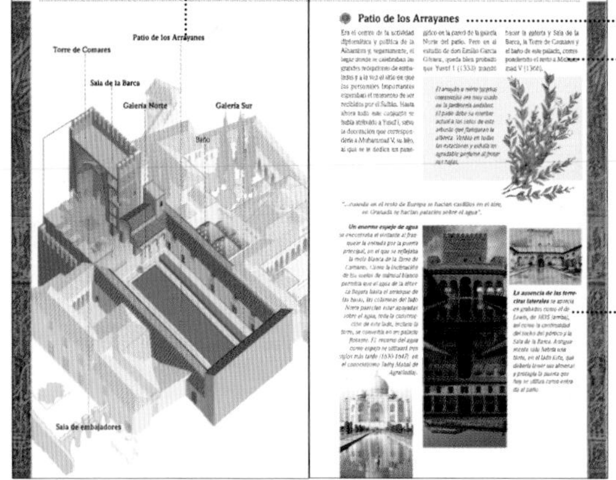

Nom.Correspond aux éléments détachés en caractères gras sur le plan.

Texte d'introduction. En typographie normale. Donne une information générale sur l'élément en question.

Texte complémentaire. En italique. Toujours associé à une image, qu'il explique..

Encadrés en couleur, et dans une typographie différente: explications générales sur des sujets d'intérêt (artisanat, techniques, société...)

Pilar de Carlos V

La fontaine de Charles V

La fontaine de Charles V est une oeuvre qui répond au désir des reconquérants de christianiser la ville nasride sans rien ôter de sa splendeur passée mais plutôt pour en accentuer son importance en tant que nouvelle ville impériale. C'est dans ce contexte, de respect pour le passé et à la fois d'affirmation de la nouvelle réalité historique, que fut placée, à l'entrée même de l'enceinte, cette magnifique fontaine, oeuvre de Machuca réalisée par Niccolao da Corte en 1543, pour définir un nouvel espace et une nouvelle ère.

Armes des Tendilla

Armes impériales, *avec l'aigle bicéphale des Habsbourg*

Colonnes d'Hercules

La Grenade, *symbole de la ville*

Les armes de la ville, des Tendilla et celles de l'empire sont unies dans tout le répertoire ornemental de la Fontaine, d'un classicisme très raffiné.

Nous ne savons pas avec exactitude si les mystérieux mascarons représentent les trois rivières de Grenade -Genil, Darro et Beiro- ou les saisons symbolisées dans le décor végétal: épis de l'été, fleurs du printemps et le raisin de l'automne. Ce sont des éléments barroques ajoutés postérieurement.

Le bois de l'Alhambra

La colline de l'Alhambra, support d'une forteresse militaire, était dépourvue de toute végétation afin d'en rendre plus facile sa défense. Elle apparaît ainsi sur toutes les gravures de l'époque. Ce n'est qu'au début du XIX è siècle que le Duc de Wellington y fit planter des marronniers d'Indes, des ormes, des micocouliers, des platanes, etc., qui, aujourd'hui, ravissent les promeneurs.

Puerta de la Justicia

Porte de la Justice

C´est presque la seule entrée qui reste, de nos jours, à l'enceinte fortifiée de la Madina Al-Hamrá (la ville de l'Alhambra). I1 s'agit d'une tour appartenant à la muraille qui protégeait la ville aristocratique, connue sous le nom d'Alhambra, et elle est sans aucun doute la porte la plus importante de ce monument.

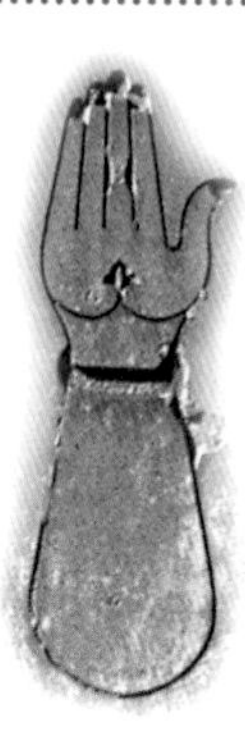

La main ouverte *sculptée sur la clef de ce premier arc a donné lieu à plusieurs interprétations quant à son symbolisme. Ici sa signification semble plutôt correspondre aux cinq doigts, ceux que les musulmans appellent al-Hamza (les cinq, c'est-à-dire les cinq préceptes fondamentaux de la loi mahométane: l'unité de Dieu, la prière, l'aumône, le jeûne et le pèlerinage à la Mecque).*

La ***Vierge gothique*** *de 1501, oeuvre de Ruperto Alemán sur une commande des Rois Catholiques dont les emblèmes, les jougs et les flèches, sont représentés sur le socle.*

"L'émir des musulmans, le Sultan guerrier et juste Abu-l-Hayyay Yussuf, fit construire cette porte appelée Bab al-san'a, que Dieu y fasse prospérer la justice de l'Islam et qu'elle soit un signe de gloire pour longtemps [...]"

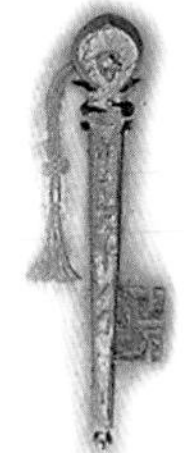

Tout comme pour ***la main*** *de l'arc précédent, il existe également plusieurs interprétations au sujet de la clef: Hurtado de Mendoza, selon Gallego Burín, pensait qu'il s'agissait du blason des rois Nasrides de Grenade; on retrouve cette clef sur la Puerta del Vino toute proche et dans le Patio de Polo, à l'entrée du Généralife.*

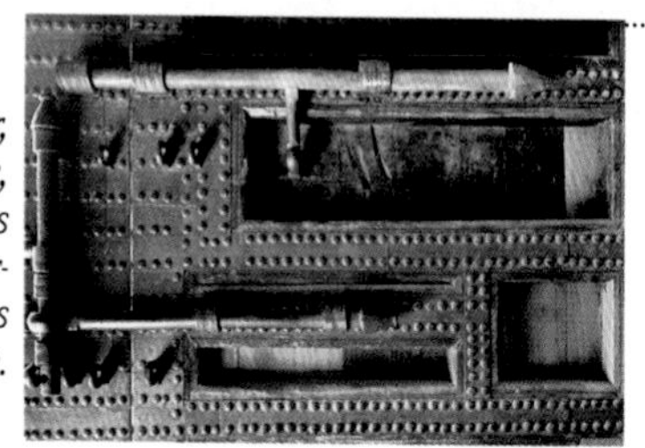

Après l'arc intérieur, deux ***pans de portes,*** *recouverts de plaques de fer, conservent le verrou et les charnières d'origine.*

Chapiteau *de marbre de l'arc intérieur. A l'époque il était polychromé, tout comme le reste de la porte.*

Dans ce premier arc, qui n'a jamais eu de porte en raison de ses proportions, il y a une ***séparation ou fenêtre de défense*** *détail typique de l'architecture nasride. Par là, les soldats pouvaient se défendre des attaquants qui essayaient de forcer la porte fermée du second arc, en leur jetant des pierres, de l'huile bouillante ou du plomb fondu.*

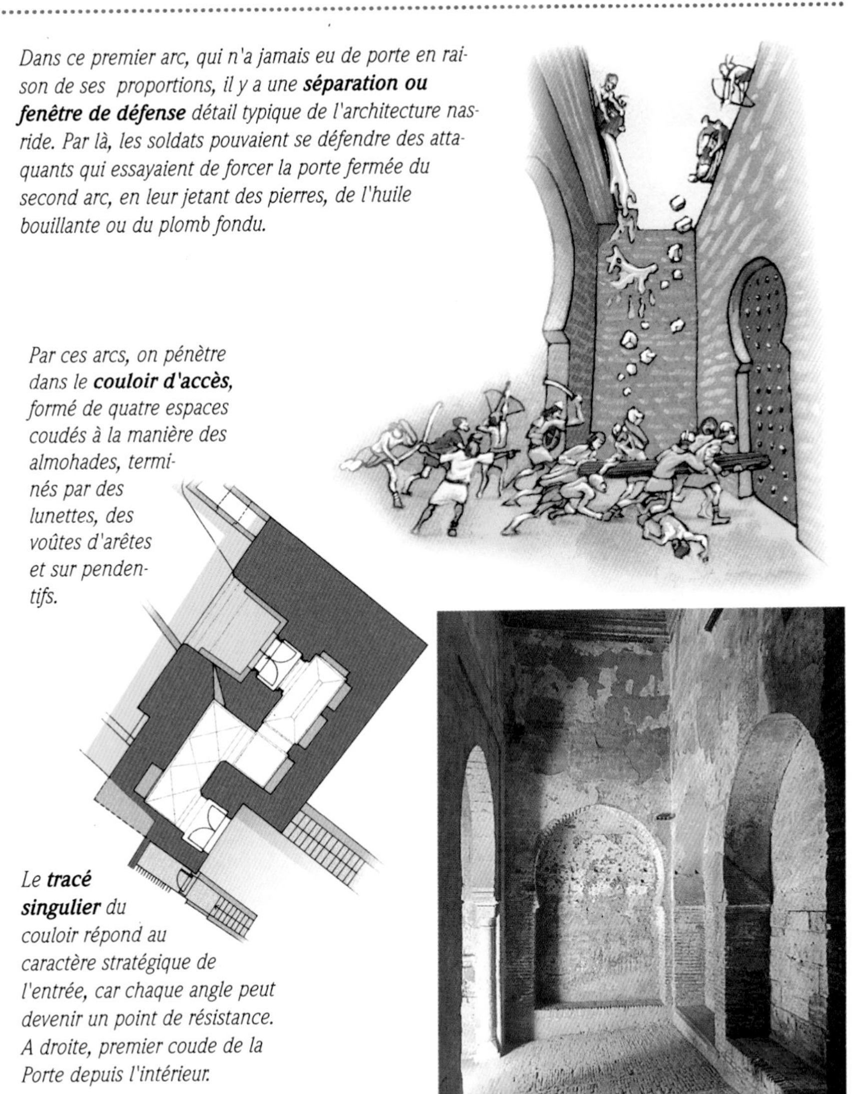

Par ces arcs, on pénètre dans le ***couloir d'accès,*** *formé de quatre espaces coudés à la manière des almohades, terminés par des lunettes, des voûtes d'arêtes et sur pendentifs.*

Le ***tracé singulier*** *du couloir répond au caractère stratégique de l'entrée, car chaque angle peut devenir un point de résistance. A droite, premier coude de la Porte depuis l'intérieur.*

Après la porte intérieure, la **"corraleta"** *est un* ***large couloir*** *où s'alignaient les cavaliers près à contre-attaquer; c'est pour cette raison que tous les couloirs de la porte sont construits en montée. Juste à droite de la porte, il y a un chemin de ronde qui longeait toute la muraille de l'Alhambra, parfois couvert, parfois à ciel ouvert, mais toujours suffisamment haut pour pouvoir faire les rondes à cheval. A droite, une partie du mur reconstruit avec des dalles provenant du cimetière musulman.*

Les deux portes, intérieure et extérieure, en forme d'arc outrepassé, sont décorées de magnifiques mosaïques à base de losanges blancs et bleus.

Le nom de Puerta de la Justicia ou de la Loi, pourrait venir d'une partie de l'inscription épigraphique : "*...que Dieu y fasse prospérer la justice de l'Islam*". Elle a également été appelée Puerta de la Explanada, car avant le tracé des chemins en forme de "V" qui conduisent vers le Généralife et le bois, elle surplombait une belle esplanade.

L'arc outrepassé

Les Goths ne possédaient pratiquement qu'un art mobilier facilement transportable comme des épées, des boucles, des trésors, etc.,dont les motifs et les symboles décorèrent leur architecture de style romain tardif. Un des apports les plus heureux des Visigoths en Espagne fut l'arc outrepassé que les envahisseurs arabes utilisèrent très souvent et magistralement au point d'en faire leur signe d'identité, exporté dans tout le monde islamique.

A droite, l'Eglise San ***Juan de Baños*** *(Palencia) du VIè s. avec un arc outrepassé datant de 50 ans avant l'invasion musulmane.*

Puerta del Vino

PORTE DU VIN

Gravure de Gi[illegible]ange, [illegible]

Le nom de cette porte vient certainement du marché au vin exempté d'impôts qui avait lieu à l'intérieur depuis 1554. Il y avait d'autres portes dans le labyrinthe inextricable de la ville médiévale, mais celle-ci était l'accès à la partie haute de l'Alhambra où vivaient près de 2000 personnes. C'était le début de la rue Real, axe central de la médina, et elle servait à la fois de croisée des chemins et de frontière entre les centres militaire et civil.

La façade Est est la plus intéressante et la plus travaillée. En plus de la fine céramique cloisonnée (page précédente), les murs présentent une décoration en plâtre (à gauche) et des restes de stucs et de polychromie (en bas), comme ceux qui devaient revêtir de nombreux murs de l'Alhambra.

La fenêtre à jalousie et son tracé droit prouvent l'usage exclusivement civil et non défensif de cette porte.

La façade Ouest (à droite), plus ancienne et plus simple, montre un des rares arcs outrepassés brisés et la clef symbolique (à gauche).

Les bancs typiques pour la garde se trouvent à l'intérieur de la Porte, à l'abri des intempéries. Le petit habitacle est couvert d'une magnifique voûte d'arêtes du style de celles de la Puerta de las Armas.

Alcazaba

L'Alcazaba a été injustement oubliée par bon nombre de ceux qui, à partir de la Reconquête de Grenade écrivirent, éblouis, sur les alcazars nasrides, alors que cette forteresse est l'embryon silencieux de toute une ville aristocratique qui allait devenir la Madina al-Hamrá (la ville de l'Alhambra). Elle surgit dans l'Histoire au moment des guerres civiles du IXè s. et des luttes contre les envahisseurs Almoravides et Almohades sous différents noms. Ce n'est qu'au XIIIè s. qu'elle deviendra définitivement Qa'lat al-Hamrá (Château Rouge).

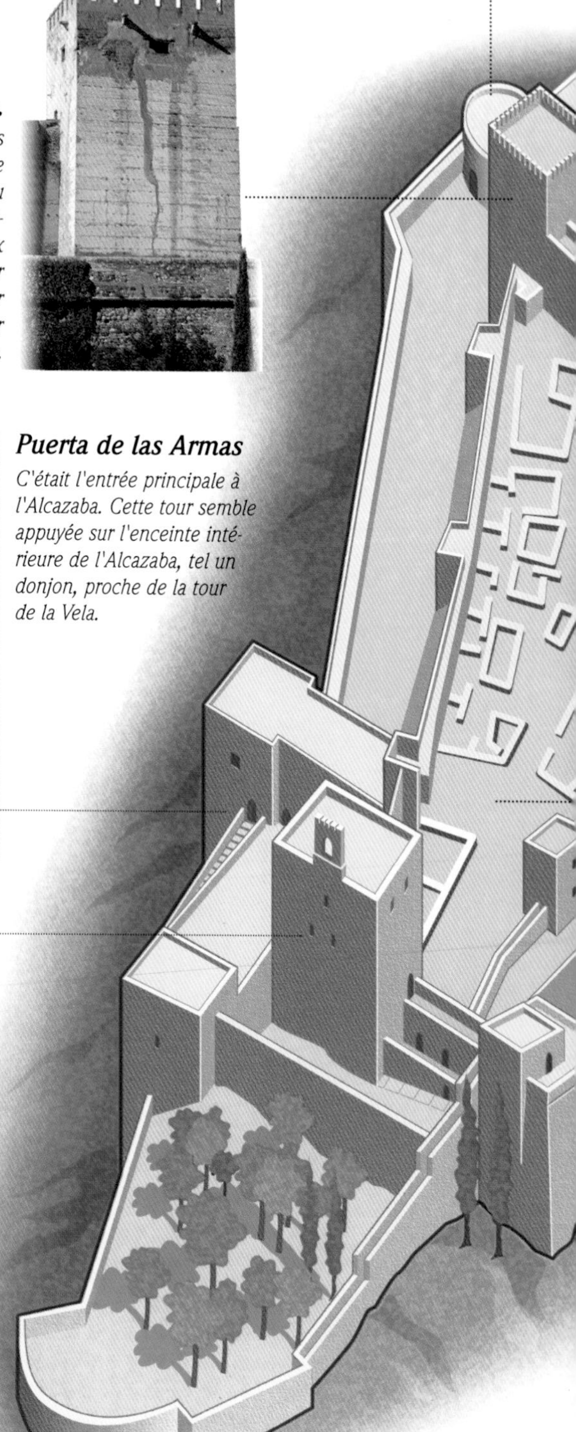

Torre del Homenaje.

Cette tour, ou donjon, est l'une des plus anciennes de l'Alcazaba. Elle date certainement de l'époque du califat. En effet, l'analyse archéologique des matériaux comparés aux vestiges de sa base conduit à penser qu'elle fut peut-être reconstruite par Al-Ahmar sur les ruines d'une tour plus ancienne du IXè s.

Puerta de las Armas

C'était l'entrée principale à l'Alcazaba. Cette tour semble appuyée sur l'enceinte intérieure de l'Alcazaba, tel un donjon, proche de la tour de la Vela.

Tour de la Vela

C'est le fondateur de la dynastie, Muhammad ben Nasr Al-Ahmar,(1238-73) qui semble être à l'origine de la construction de cette tour.

Cubo de l'Alhambra.
C'est une tour de style renaissance (XVIè s.) ajoutée après la reconquête chrétienne. Elle abrite la Puerta de la Tahona.

Torre Quebrada.
Le nom de cette tour, qui signifie brisée, vient de l'énorme lézarde, telle une balafre, que l'on distingue parfaitement depuis la place des Aljibes. Elle fut renforcée jusqu'à la hauteur de la muraille, qu'elle surmonte de deux étages.

Ticket

Plaza de los Aljibes

Puerta del Vino

Plaza de Armas.
Au bout d'une côte empierrée se trouvait une rue centrale avec plusieurs dépendances à l'usage des défenseurs de l'Alcazaba.

Torre de la Sultana.
Cette tour domine le jardin del Adarve mais elle a perdu un peu de sa majestuosité lors de la création du jardin dans le fossé du chemin de ronde.

Jardín del Adarve.
Ce jardin a été créé au début du XVIè s. par le marquis de Mondéjar sur l'emplacement du profond fossé qui séparait l'enceinte intérieure de l'extérieure.

Torre de la Pólvora.
De cette tour partait le Chemin Militaire qui allait jusqu'aux Torres Bermejas, de l'autre côté de la Cuesta de Gómerez.

Plaza de los Aljibes

Même après l'arrivée à Grenade de Muhammad ben Nasr Al-Ahamar en 1238, l'Alcazaba est restée une forteresse isolée, séparée du plateau à l'Est (où furent construits plus tard les Alcazars royaux) par un ravin. A l'époque de Yusuf I (1333-54) sur ce même ravin fut élevée une courtine de murailles et de tours dont on peut encore observer les vestiges depuis la Place des Aljibes, près de la Puerta del Vino.

*Le même roi fit relier les murailles de l'Alcazaba avec celles des Alcazars par **le chemin de ronde** avec un accès par un escalier depuis la Torre de la Tahona, découvert en 1955 sous le-dit Cubo de l'Alhambra.*

*Après la reconquête chrétienne, en 1494, le Comte de Tendilla, fit remplir ce ravin pour y construire une réserve d'eau (**aljibe**), utilisant la Torre Quebrada comme filtre. C'est devenu la place des Aljibes qui se trouve donc devant l'Alcazaba.*

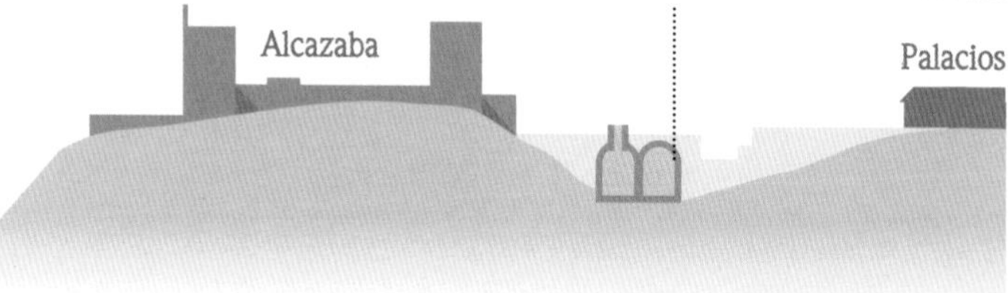

*L'Alcazaba a **deux enceintes** bien différentes. La plus petite, à l'intérieur (en marron), pourrait être d'origine romaine d'après les petites pierres de taille de la partie inférieure des murs (ci-dessous).*

*Les **parties ajoutées** pendant l'époque chrétienne sont signalées en rouge: cubo, fausse-braie, jardin del Adarve.*

*Le **bastion,** véritable proue de l'Alcazaba, fut ajouté par les Nasrides au XVè s. pour placer l'artillerie vers la ville, plus redoutée que les ennemis venant l'extérieur.*

Tour et Porte des Armes

La Porte des Armes est sans doute l'entrée principale de l'Alcazaba. Elle était dotée d'une herse dont le mécanisme était contrôlé à partir de l'étage supérieur auquel on accédait par le chemin de ronde de l'Alcazaba.

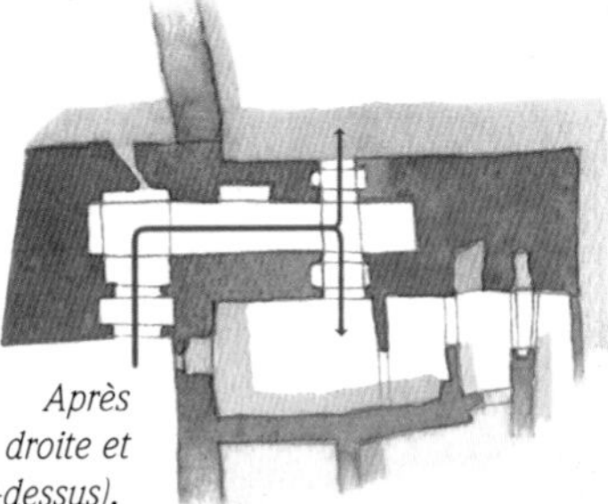

Après l'entrée, le large couloir tourne à droite et débouche sur un grand espace (ci-dessus), sûrement un corps de garde. A partir de là le chemin bifurquait: à gauche vers les palais et à droite vers l'entrée à l'Alcazaba.

En ***direction des palais royaux,*** *le visiteur, à pied ou à cheval, devait parcourir une distance d'environ quatre-vingt dix mètres sans protection du côté droit -le bouclier se portait à gauche- exposé aux arbalétriers placés sur la muraille intérieure ou la Torre del Homenaje (à droite).*

Après avoir passé un nouveau contrôle, au niveau du ***Cubo*** *(ci-dessus), on arrivait au marché dont il reste quelques vestiges. Cette tour chrétienne est large, peu élevée et sans arêtes afin d'atténuer les impacts de l'artillerie, arme qui commençait à être utilisée avec une certaine effectivité.*

Le chemin n'était pas plus simple pour celui qui se rendait à l'Alcazaba. Le visiteur pouvait laisser sa monture aux écuries près de la Puerta de las Armas; ensuite il devait s'engager sur un chemin étroit, avec des escaliers et des parties coudées, à peine large pour deux personnes côte à côte, et parcourir presque trois fois la largeur de la Torre de la Vela, toujours sous la menace de celle-ci, car les soldats pouvaient très facilement arrêter une armée entière en jetant des pierres, de l'huile bouillante ou du plomb fondu sur cet étroit couloir.

Torre del Homenaje

Sur le premier tableau connu de Grenade, certainement du peintre flamand Petrus Cristus (vers 1500) (collection Mateu, ci-dessous), on peut observer une ***porte d'accès*** *à l'Alcazaba, condamnée quelques siècles auparavant. A partir de l'analyse de ce tableau, Manuel Gómez Moreno put la découvrir en 1894, encastrée dans la muraille (à droite).*

Plaza de Armas

A l'intérieur de l'enceinte, il reste quelques vestiges de constructions: les bains pour les soldat, au pied de la Torre de la Vela, petites maisons de chaque côté de l'allée centrale, pour les chefs de la garnison, armuriers, ferronniers, etc. Il y a également des puits et des geôles en sous-sol, au pied du mur Est; les lits des prisonniers sont signalés par des briques.

Place d' Armes depuis la Tour du même nom.

Torre de la Vela

Elle mesure 27m de haut sur 16m de large. Ses quatre étages ont été transformés pour devenir des habitations après la reconquête chrétienne. La tour est légèrement plus basse qu'à l'origine. En effet, depuis le XVIè s., elle a perdu ses créneaux à la suite de plusieurs catastrophes: d'abord un tremblement de terre (1522) et ensuite l'explosion d'une poudrière dans la vallée du Darro (1590). Au XIXè s., la foudre détruisit le clocher qui dût être déplacé.

Sur la gravure de Doré (1862, à droite), réalisée juste un an avant, le clocher se trouve encore à sa place d'origine, dans un angle de la tour.

La cloche, fondue en 1733 pour remplacer la précédente, servait pour organiser le système d'irrigation de la plaine de la Vega. A l'occasion d'événements tragiques elle a donné l'alarme, comme en 1890 lors de l'incendie de l'Alhambra. Elle a été électrifié récemment.

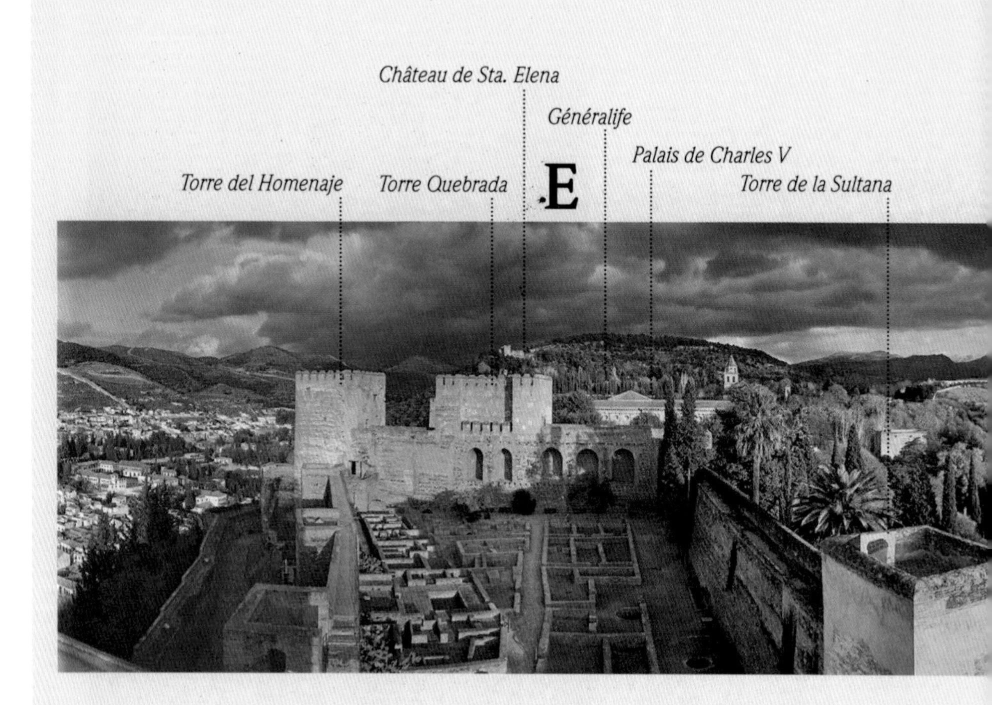
Château de Sta. Elena
Généralife
Palais de Charles V
Torre del Homenaje
Torre Quebrada
E
Torre de la Sultana

Sierra Elvira
Eglise de S. Miguel Bajo
O

C'est la Grenade que T. Gauthier nomme "la Jérusalem céleste" et que le cordouan Al Saqundi décrit comme "extase pour les yeux et ravissement de l'âme".

Les murailles de Grenade

L'Alhambra était le couronnement de tout un système de murailles complexe qui encerclaient Grenade, bien que sa situation par rapport à l'ensemble soit quelque peu excentrée. En réalité l'Alhambra se trouvait en dehors de l'enceinte de la ville, comme si les habitants étaient plus redoutés que les ennemis de l'extérieur. Lorsque les citadelles de l'Albaicin se retrouvèrent bloquées par les nouveaux quartiers construits, et donc sans passage vers l'extérieur, al-Ahmar et ses successeurs s'installèrent dans le château de la Colline Rouge qui, malgré tous les travaux réalisés, présentait l'avantage d'offrir de larges espaces ouverts en cas de fuite nécessaire.

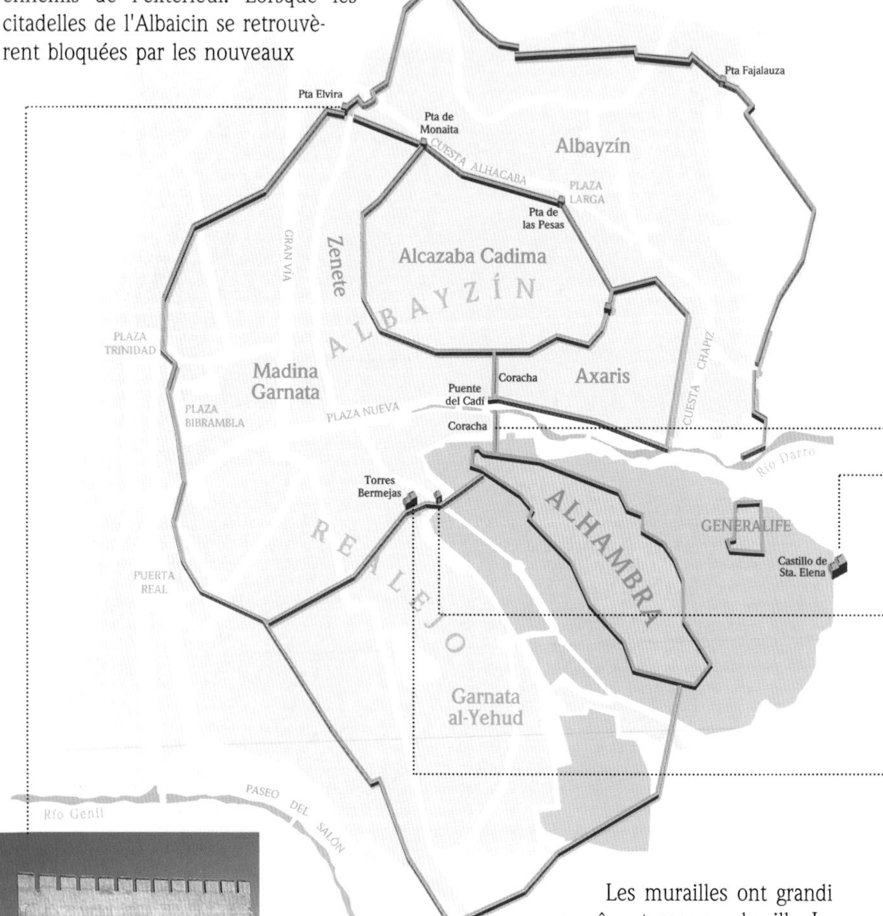

Les murailles ont grandi en même temps que la ville. La plus ancienne est celle de la **Alcazaba Cadima**, dans l'Albaicin, de l'époque ziride (XIè s.). Au XIIè s., elle encerclait ce qui est maintenant le centre de la ville et elle s'étendit à l'époque nasride avec la fermeture des quartiers du haut Albaicin et de la Garnata Al-Yehud, le quartier juif. Il y avait de nombreuses portes. **Elvira, Monaita, Arco de la Pesas, Hizna Roman et Fajalauza** toutes situées autour de l'Albaicin. Celles-ci sont encore à leur emplacement d'origine. Des autres, il ne reste que des vestiges qui ont été déplacés.

Puerta de Elvira.
Elle donnait sur un cimetière -toujours situé extra-mûrs-. C'est aujourd'hui toute la zone occupée par le Jardin del Triunfo et ses alentours.

*Avant la construction de la Acequia Real (canal d'irrigation) pour approvisionner en eau l'Alhambra -et ensuite comme moyen de sécurité- un bras de la muraille -***coracha***- descendait depuis l'Alcazaba jusqu'à la rivière, à l'endroit connu comme* **Puente del Cadí** *(à gauche) ou Puerta de los Tableros pour prendre de l'eau du Darro. Ce pont devait être une vanne pour endiguer la rivière, l'eau ainsi retenue pouvait servir, une fois la vanne ouverte, à des fins défensives ou tout simplement pour nettoyer le lit de la rivière.*

Le **château de Santa Elena,** *appelé aussi* **Silla del Moro,** *protégeait les jardins potagers situés au-dessus du Généralife. Au XIXè s., il fut utilisé par les Français comme poste d'artillerie, ce qui aggrava sa ruine. Il est aujourd'hui en restauration.*

La Puerta de las Granadas, *accès au bois de l'Alhambra depuis la Cuesta de Gomérez, a été construite en 1526 après la démolition de Bab Handac (Porte du Ravin), sur celle par où passait un chemin militaire qui depuis le Bastion, du côté Sud de l'Alhambra, communiquait avec Torres Bermejas sur la colline d'en face. Avec la fontaine de Carlos V, c'est la détermination de la nouvelle orientation de l'Alhambra, ouverte vers le Sud, et l'affirmation de l'espace du bois, patrimoine royal.*

Torres Bermejas *complétait les défenses de la zone Sud de l'Alhambra et du quartier juif (protégeait le quartier ou bloquait ses habitants, selon les auteurs). Reconstruite au XIIIè s. sur des fondations antérieures et unie à l'Alhambra au XIVè s. par Muhammad V, elle a été restaurée au XIXè s. et consolidée récemment.*

LA CONSTRUCTION MILITAIRE NASRIDE

Héritier d'un pouvoir secoué par de longs conflits de frontière, et assiégé par l'avance des royaumes chrétiens, le royaume nasride prit une orientation défensive visible depuis les tours de surveillance et les châteaux situés aux frontières jusqu'à la structure de ses centres de pouvoir. Les nasrides ont résumé et perfectionné dans leurs constructions militaires tous les progrès que le monde andalusí avait développé pendant cinq siècles dans l'architecture militaire, et y en ont incorporé d'autres.

Les Almohades avaient déjà introduit la **meurtrière, les bastions ou les corachas**.

Au XIè s., les portes des enceintes sont ouvertes à l'intérieur des tours au lieu des murailles. Les nasrides ont perfectionné ce genre d'entrée en les dotant de **herses** et en les transformant en **couloirs coudés,** plus faciles à défendre.

Des bastions en bois et des **mâchicoulis** adossés aux murs complétaient la défense des entrées. Les matériaux utilisés changent: des pierres de l'époque du califat on est passé à un assemblage de pierre et de brique, et surtout au mur en pisé, mortier de pierres, sable et chaux.

Tours
Situées à intervalles dans le mur, elles rendaient plus facile la défense et permettaient de concentrer les troupes.

Tour Albarrana
C'est une tour séparée de la muraille, à laquelle elle est reliée par un couloir. Elle permettait la persécution des ennemis qui auraient essayé de franchir l'enceinte.

Adarve.
C'est le chemin de ronde qui longe la muraille et communique les tours.

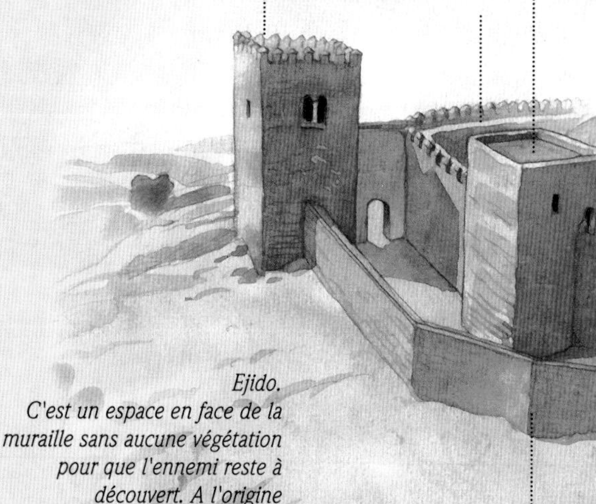

Ejido.
C'est un espace en face de la muraille sans aucune végétation pour que l'ennemi reste à découvert. A l'origine l'Alhambra a été imaginée sans le bois qui l'entoure de nos jours, planté par Wellington au début du XIXè s.

Barbacane.
C'est un petit mur qui entoure la muraille principale, servant de première ligne de défense.

La Alcazaba d'Alméria, *nous donne une idée de l'aspect qu'avait l'Alhambra dressée sur sa colline sans végétation.*

La **Porte des Armes**
Son tracé (à gauche) présente le double angle caractéristique. En-dessous, la première partie du tracé coudé.

Porte de la tour
Au lieu d'un simple creux dans le mur, le fait de placer la porte dans une tour permet de couder le passage d'accès, créant de la sorte des recoins d'où seulement quelques défenseurs peuvent arrêter de nombreux attaquants.

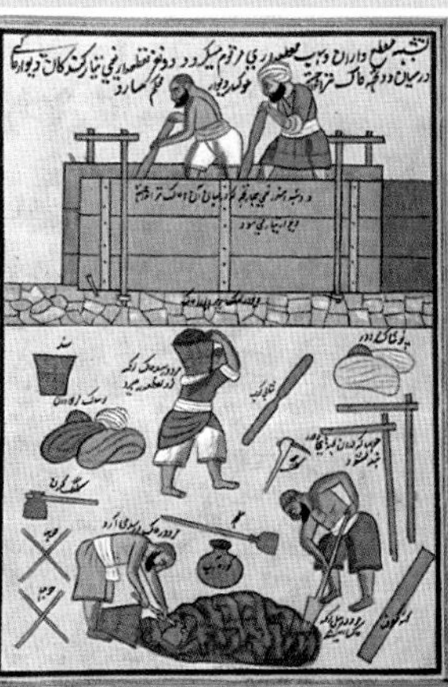

*Le **mur** en pisé se faisait, comme l'indique ce manuscrit ancien de l'Inde musulmane, de la même façon que le ciment aujourd'hui, les coffrages de bois se remplissaient avec le mélange de pierre, sable et chaux. Les poutres transversales, quand elles ont été retirées ou ont pourris dans le mur laissent des trous caractéristiques appelés boulins. Le mélange durci avec le temps et acquiert une consistance très résistante et homogène aux impacts: il ne s'éboule pas comme un mur en pierres. Il faut le percer de part en part pour en venir à bout.*

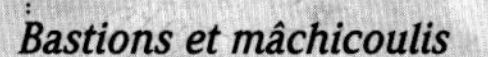

Bastions et mâchicoulis
Les bastions sont en bois et les mâchicoulis en maçonnerie. Ce sont des structures accolées aux mur qui permettent de harceler l'attaquant depuis la partie supérieure.

Coracha.
C'est une partie de mur - parfois une simple palissade- qui permet d'accéder à un point sur une rivière proche, fontaine ou canal, pour assurer l'approvisionnement en eau.

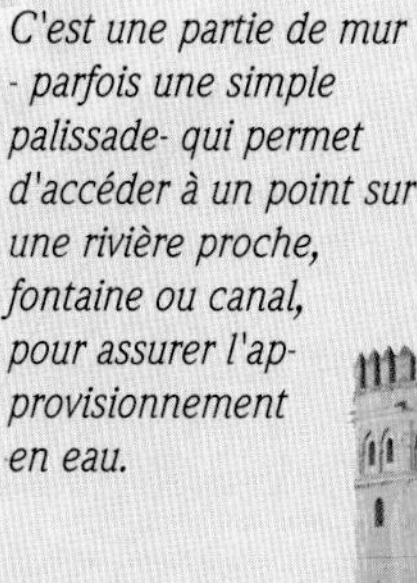

*La Tour de los Picos ou **la Porte de la Justice** (à gauche) présentent des vestiges des supports de ce genre de structure.*

*Les corachas terminaient souvent en tour. Le plus bel exemple de coracha est la célèbre **Torre del Oro** de Séville, de l'époque almohade.*

LOS PALACIOS NAZARIES

LES PALAIS NASRIDES

MEXUAR

COMARES

LEONES

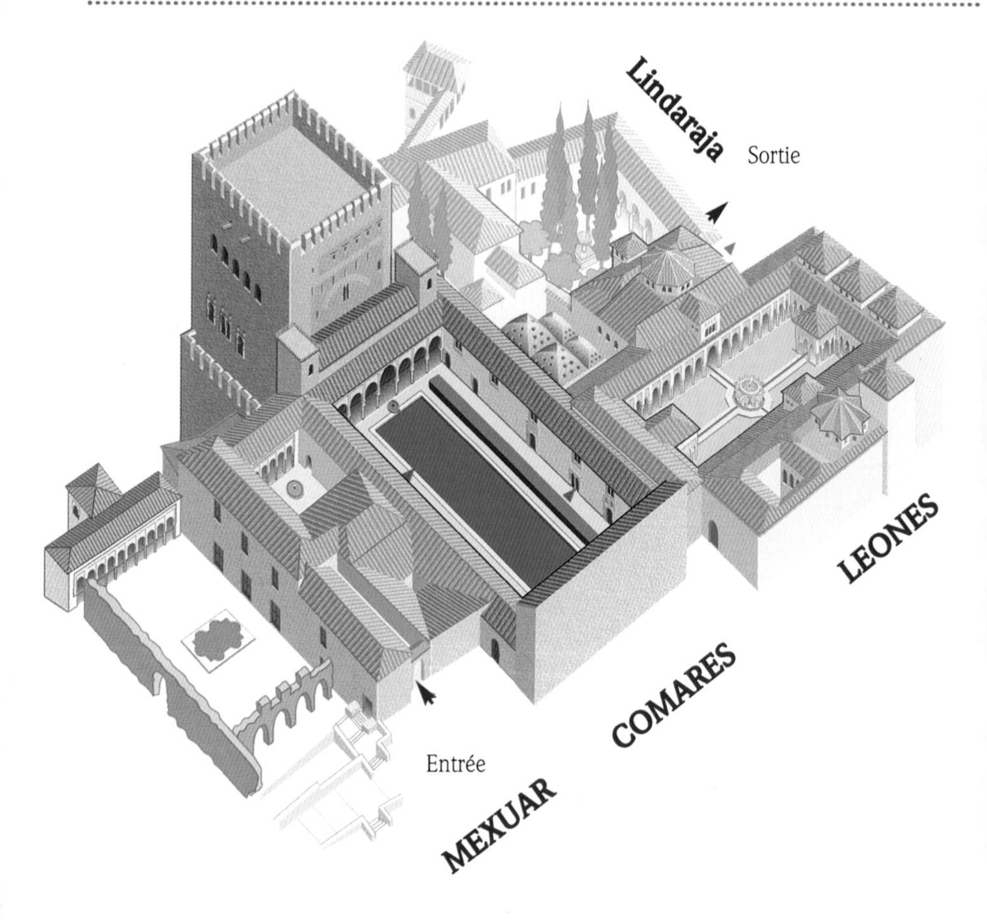

L'ANCIENNE MAISON ROYALE

C'est peu après la reconquête que l'ensemble des Palais Nasrides fut appelé Mexuar dans le but de le délimiter par rapport à la Nouvelle Maison Royale que Charles V prétendait construire avec son palais comme grand centre résidentiel, administratif et politique de l'Empire. Cette distinction impliquait la volonté d'intégrer la partie nasride de façon logique au nouveau projet. Ses grands-parents n'avait pas de résidence fixe de sorte qu'en choisissant l'Alhambra pour y installer sa cour l'Empereur la sauvait pour la postérité.

L'Ancienne Maison Royale comprend encore à notre époque les centres les plus importants de l'Alhambra: Mexuar, Comares et Leones avec leurs dépendances et annexes qui méritent bien un traitement différencié à l'intérieur de l'ensemble.

Les spécialistes considèrent que sept palais composaient l'ensemble; il ne reste qu'une partie de la ville princière et des vestiges de la médina. Le peu qui est parvenu jusqu'à nous donne cependant une idée assez claire de la splendeur et de la grandeur qu'avait atteint une civilisation, politiquement décadente mais dans son meilleur moment culturel.

L'Alhambra, patrimoine de l'humanité, est air, lumière, espace, au-delà de la pure architecture. Ce n'est pas un simple espace rempli à partir du vide mais plutôt un espace capturé, forgé à base d'étincelles et d'ombres, de ruisseaux, de fleurs, de calligraphies enveloppantes comme la peau et de sensations qui dépassent le temps.

Mexuar

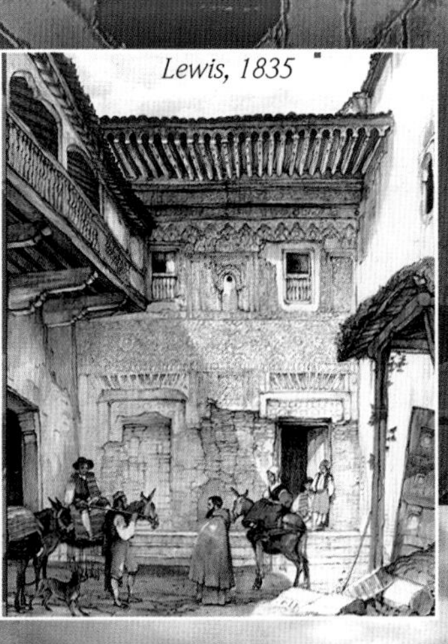

Lewis, 1835

C'est sans aucun doute la partie des Alcazars qui a subi le plus de transformations -presque toujours imposées par les anciens gouverneurs chrétiens au service de leurs souverains- pour l'adapter à des services et fonctions nouvelles, modifiant ainsi sa physionomie d'origine. Ces transformations se sont faites parfois en détruisant d'anciennes structures, il est donc très difficile d'établir de nos jours les chemins d'accès à cette partie du palais.

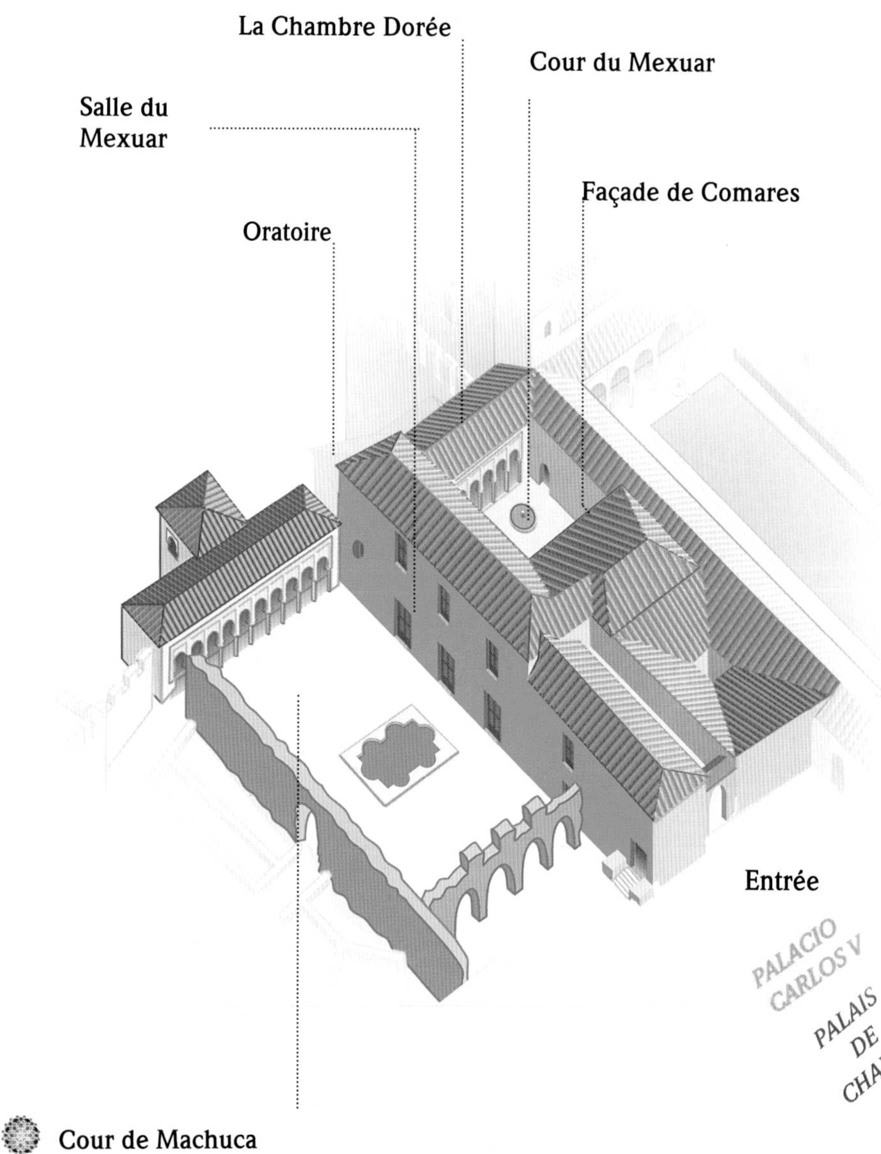

Cour de Machuca

Elle s'appelle ainsi car, sur le côté qui donne sur la rivière Darro, la galerie et la tour furent occupées par Machuca, l'architecte du Palais de Charles V. En face, il y avait une galerie identique dont il ne reste que quelques vestiges au sol. Des cyprès formant des arcs donnent une idée de sa disposition.

 La Salle du Mexuar

Cette salle est la partie la plus ancienne des alcazars royaux. Elle présente de nombreuses réformes qui datent des règnes de Yusuf Ier ou de son fils Muhammad V. C'était le siège du Tribunal Royal. Après la Reconquête, elle fut transformée en chapelle ce qui changea évidemment l'aspect de la salle. Les photos, ci-dessous, donne une idée de sa disposition d'origine.

La petite porte d'accès, décorée de modillons sculptés, se trouvait à un autre endroit. A l'époque, la salle devait donner sur la cour de Machuca.

Il y avait certainement une lanterne percée de petites fenêtres qui laissaient passer le jour au travers de verres de différentes couleurs. Elle a été remplacée par un plafond lambrissé morisque en disposition radiale.

Le mur Nord, qui à l'époque séparait la salle d'une cour ou d'une rue, a été détruit. Sa décoration en plâtre fut replacée sur le mur postérieur, dans lequel a été ouverte une porte d'accès à l'oratoire utilisé comme sacristie.

***La balustrade en bois** du choeur édifié dans l'espace gagné sur la cour.*

***Tout le mur O** de la salle fut consolidé pour supporter le poids d'un nouvel étage et on y perca les grandes fenêtres, protégées par des grilles. I1 est impossible maintenant de déterminer quel était l'aspect interne de ce mur reconstruit.*

Dans le carré délimité par les quatre colonnes, le Conseil étudiait des affaires judiciaires importantes; sur la porte il y avait un azulejo avec une inscription:

Entre et demande. Ne crains pas de réclamer justice, tu y as droit"

Quelques caissons sont d'origine et ils conservent un peu de leur polychromie aux tons plus sombres. La partie supérieure des murs présentent des couleurs également d'origine et des tons dorés dans leur décoration de plâtre.

Les chapiteaux ont été restaurés en 1995 pour leur restituer leur polychromie

Toute la salle est décorée d'un lambris d'alicatado morisque du XVIè s. dans lequel les étoiles centrales représentent les armes de la dynastie nasride, celles du Cardinal Mendoza, les aigles bicéphales de la maison d'Autriche, et les colonnes d'Hercules du blason impérial. Ce qui démontre bien d'une part l'admiration pour le peuple musulman et d'autre part une certaine volonté l'intégration. Au-dessus des azulejos sur tout le périmètre de la salle des jaculatoires répètent, telle une lithanie "Dieu est le pouvoir", "Dieu est la gloire" et "Dieu est le royaume".

L'entrée actuelle a été ouverte à l'époque moderne, affectant une des colonnes d'Hercules en azulejo ajoutées au XVIè s. qui dut être transportée au mur Est. La couronne de plâtre qui la surmontait est restée à sa place, au-dessus de la porte.

Oratoire du Mexuar

Il se trouve au fond de la Salle du Mexuar, face à l'Albayzin. C'est une des salles de l'Alhambra qui a le plus souffert lors de l'explosion de 1590; elle a dû être réparée, mais sa restauration n'a été terminée qu'en 1917. A l'époque nasride l'entrée se trouvait du côté de la galerie de Machuca.

Quatre fenêtres s'ouvrent dans le mur N dont trois sont à meneaux, avec des colonnettes de marbre et des chapiteaux d'albâtre.

A présent, l'oratoire n'est qu'un merveilleux mirador tourné vers l'Albayzin, et le manque de fiabilité des restaurations auxquelles il a été soumis oblige à négliger la décoration murale très simplifiée, à l'exception de quelques inscriptions autour du mirhab, relatives à Muhammad V, dont une en particulier:

"Ne fait pas partie des négligents
Viens prier".

L'Islam oblige la prière en direction de La Mecque cinq fois par jour; d'où la présence habituelle d'oratoires, dont l'élément principal - la niche décorée appelée mihrab- signale la direction correcte.

De n'importe quel point de l'Alhambra, on remarque que ce petit oratoire s'incline brusquement vers le SE, orientation de son mihrab vers la Mecque.

Mihrab de l'oratoire du Mexuar

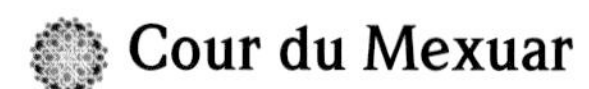

Cour du Mexuar

Cette petite cour s'appelait, sans aucune raison, la "Cour de la Mosquée". Sur le côté N., la "Salle Dorée" (Cuarto Dorado) précédée d'une galerie, et à l'opposé une impressionnante façade, l'entrée du Palais de Comares. **Galerie nord**

Il suffit d'observer les gravures du siècle dernier pour apprécier le travail des restaurateurs; ici, les restaurations ont été nombreuses mais très bien réalisées

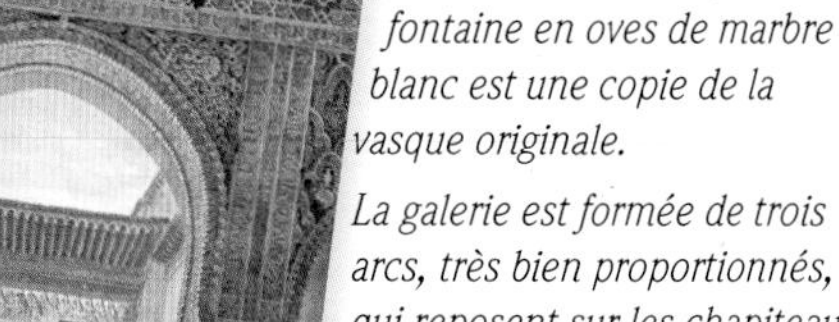

Au centre de la cour, la fontaine en oves de marbre blanc est une copie de la vasque originale.

La galerie est formée de trois arcs, très bien proportionnés, qui reposent sur les chapiteaux de marbre blanc, probablement almohades, couronnant de belles colonnes également de marbre. Ces chapiteaux semblent être une stylisation inspirée des chapiteaux zoomorphes de Persépolis

Dessins d'Owen, 1842 (ci-dessus) et lithographie de Taylor-Asselineau, 1853 (ci-contre).

Un long souterrain (façade E.) conduit aux Bains du Palais de Comares; des habitacles de chaque côtés devaient servir pour la troupe.

La Salle Dorée

Cette salle derrière la galerie surplombe les pentes boisées de la colline par une fenêtre gothique divisée par un meneau dont le chapiteau porte les armes des Rois Catholiques. A l'époque nasride c'est probablement ici où les visiteurs attendaient l'autorisation pour entrer au Palais.

La restauration date du règne des Rois Catholiques. Le plafond est d'origine, avec sa charpente d'arêtiers, mais présente des motifs gothiques.

LES CHARPENTES EN BOIS MUDEJAR

La menuiserie se distingua dans les plafonds et les couvertures des salles qui, tout comme les murs, combinent la fonction pratique avec la valeur artistique et symbolique donnée par la décoration.

De nombreux modèles de constructions andalous ont été conservés par les artisans restés dans la péninsule après la conquête chrétienne, les mudéjars. Ils participèrent aux nouvelles constructions dans les villes conquises -surtout les églises- ce qui donna naissance à un nouveau style architectural, mudéjar, caractérisé par l'emploi intensif de la brique, de l'azulejo pour la décoration et des différentes sortes de charpentes.

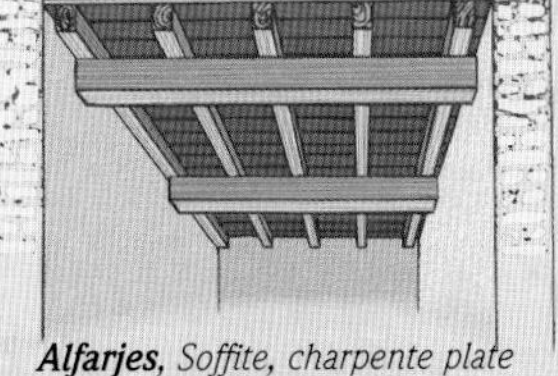

***Alfarjes**, Soffite, charpente plate avec un ou deux ordres de poutres. Les grandes qui s'appuient sur le mur sont les poutres maîtresses.*

***Faîtage.** A deux combles, avec des chevrons ou arbalétriers qui reposent sur le mur d'appui - poutre encastrée dans le mur- et au-dessus par une autre appelée faîtage.*

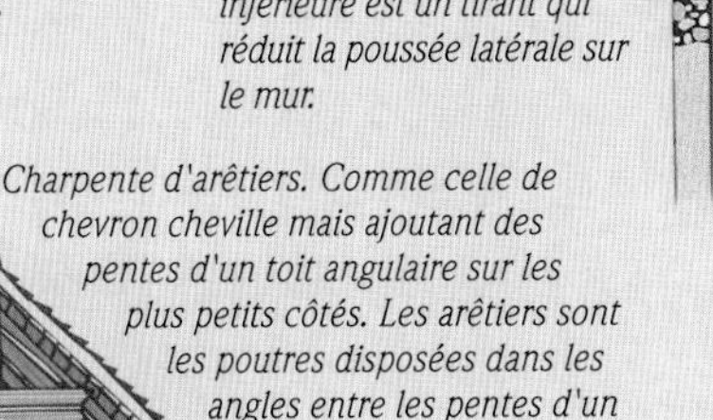

Chevron cheville- ajoute à la précédente des traverses horizontales - chevilles- qui allègent la courbure supportée par les chevrons. La poutre horizontale inférieure est un tirant qui réduit la poussée latérale sur le mur.

Charpente d'arêtiers. Comme celle de chevron cheville mais ajoutant des pentes d'un toit angulaire sur les plus petits côtés. Les arêtiers sont les poutres disposées dans les angles entre les pentes d'un toit angulaire.

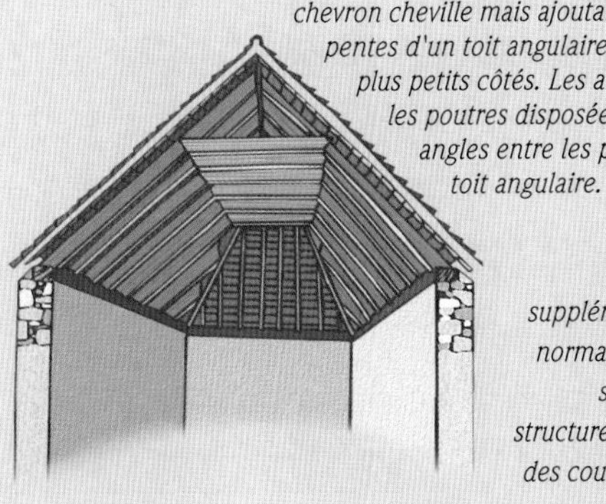

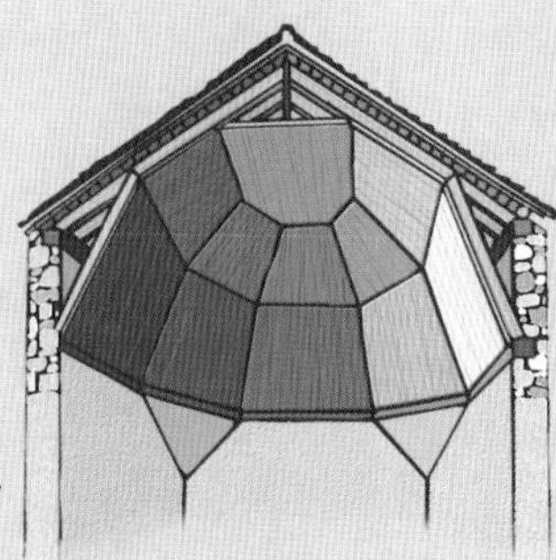

Des pans supplémentaires étaient normalement disposés, supportés par ces structures, pour fabriquer des couvertures voûtées.

Fachada de Comares

Façade de Comares

La façade est précédée d'une sorte d'estrade de trois marches de marbre blanc, et sa décoration d'entrelacs se présente en ordre croissant de bas en haut. Les panneaux décoratifs de cette façade, très restaurée au XIXe s., sont parfaitement délimités.

"Ma position est celle d'une couronne et ma porte une bifurcation: l'Occident croit que l'Orient se trouve en moi. Al-Gani bi-llah m'a chargé de franchir le pas vers la victoire qui déjà

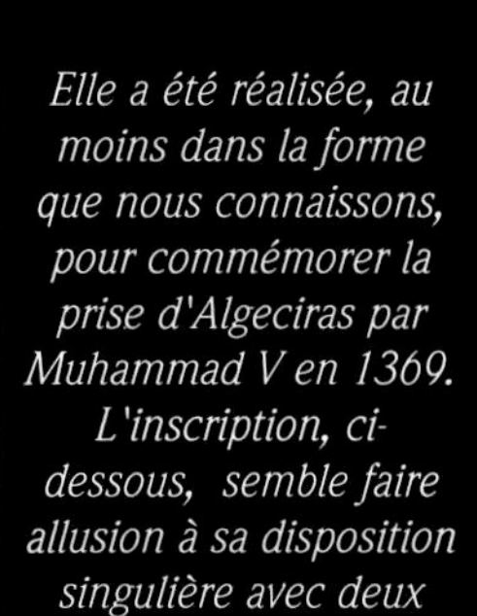

Elle a été réalisée, au moins dans la forme que nous connaissons, pour commémorer la prise d'Algeciras par Muhammad V en 1369. L'inscription, ci-dessous, semble faire allusion à sa disposition singulière avec deux portes:

s'annonce. Moi j'attends son apparition tout comme l'horizon annonce l'aube. Que Dieu embellisse ses oeuvres à l'image de son aspect et de son caractère !"

Elle culmine par un auvent de bois, au très fin travail d'ébénisterie, qui repose sur une frise du même matériel. Sa sculpture est considérée, par presque tous les auteurs, comme un chef-d'oeuvre de l'ébénisterie hispano-musulmane.

La décoration est très riche autour des deux fenêtres à meneaux latérales et d'une petite fenêtre centrale sur lesquelles se répète la devise de la Dynastie (à droite).

"Seul Dieu est vainqueur"

Au dessus du linteau des portes, les alicatados d'origine ont été continués d'un stucage moderne le long des jambages des portes jusqu'au lambris, également restauré, du pied de la façade.

Façade de l'Alcazar de Séville, d'époque almohade, qui aurait servi de modèle d'après le professeur Manzano.

Pour certains auteurs la très belle façade n'est pas à sa place d'origine. Ainsi Oleg Grabar affirme:

"...elle trop grande et trop élaborée pour être un simple passage, déséquilibrée du point de vue de la composition par rapport à la petite cour qui la précède et elle manque d'une fonction visuelle claire, malgré les inscriptions décrivant sa position comme croisée de chemins à l'intérieur de l'organisation interne du palais".

La porte de droite conduit à une sorte de vestibule postérieur à la conquête. A l'époque, elle devait communiquer avec l'espace réservé au service du Palais. Celle de gauche donne sur une petite pièce et un couloir coudé pour la garde qui conduit à la cour des myrtes.

L'esthétique de cette façade monumentale, quelque soit son emplacement, devait produire une certaine émotion: polychromée tel un tapis persan, avec les reliefs et le auvent dorés, et les portes dont le bronze poli ressemblait à de l'or.

Comares

Taylor, 1832

Cet ensemble, avec la Salle des Ambassadeurs (Sala de los Embajadores) ou du trône, constitue le centre le plus important de toutes les constructions de l'Alhambra. L'austérité de ses lignes et l'équilibre de ses proportions imprègnent la cour d'une sérénité telle qu'on y respire encore la grandeur des rois qui la firent construire.

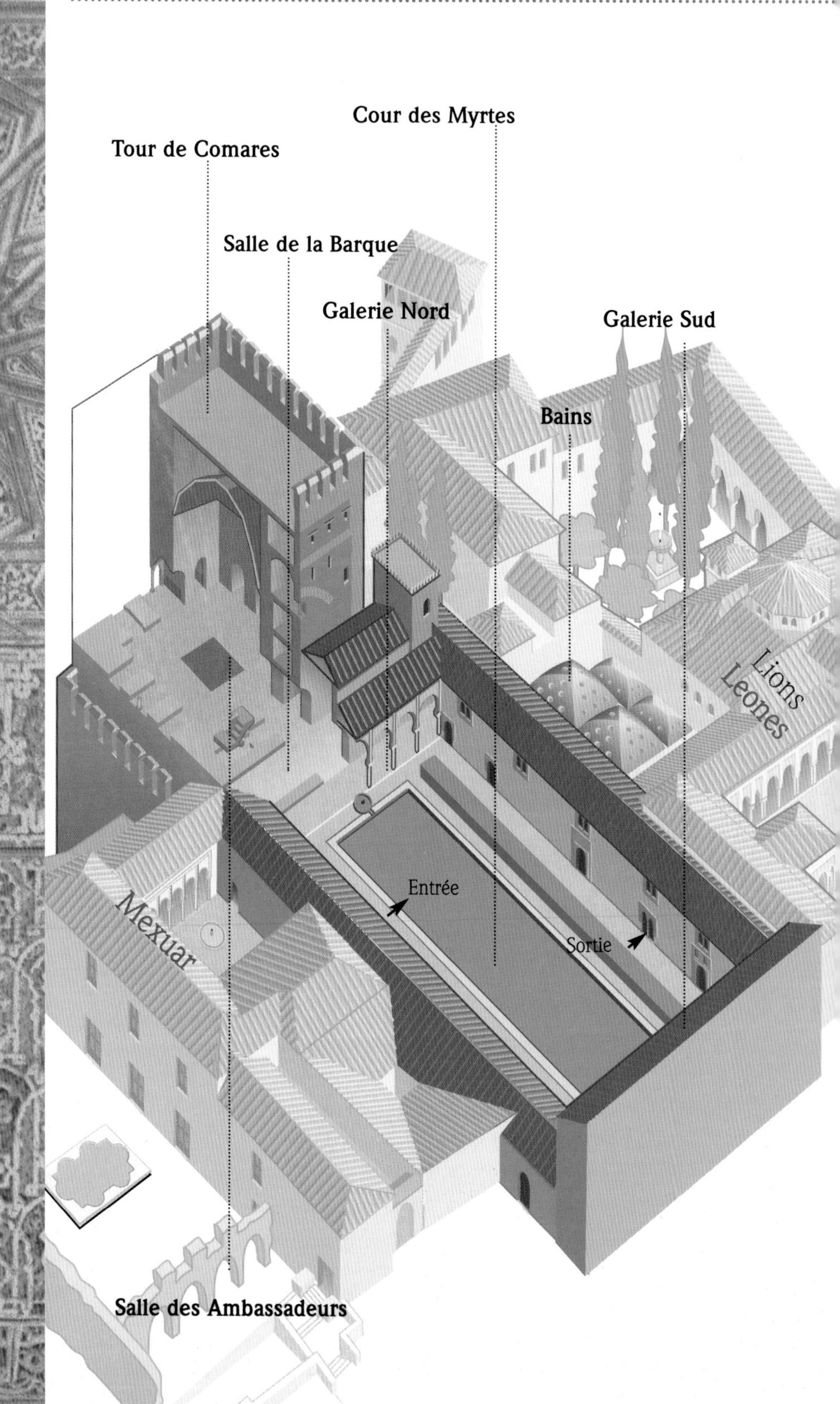
Cour des Myrtes
Tour de Comares
Salle de la Barque
Galerie Nord
Galerie Sud
Bains
Lions
Leones
Mexuar
Entrée
Sortie
Salle des Ambassadeurs

Cour des Myrtes

La Cour des Myrtes était le centre de l'activité diplomatique et politique de l'Alhambra. Ce devait être également le lieu où étaient organisées les grandes réceptions d'ambassades, et là où les personnages importants attendaient d'être reçus par le Sultan. Jusqu'à présent, cet ensemble était attribué à Yusuf Ier, même si la décoration correspondait à Muhammad V. Un panégyrique est dédié à ce dernier sur le mur de la galerie Nord de la cour, à l'occasion de la Reconquête d'Algeciras. Mais dans l'étude du manuscrit d'Ibn Aljatib il apparaît clairement que la Cour des Myrtes, à l'époque de Yusuf Ier, n'était qu'une esplanade ouverte avec un bassin au centre. La fermeture de cette esplanade appartient donc à l'époque de Muhammad V.

La myrte (myrtus communis) était très utilisée dans le jardin andalousí. Le nom actuel de cette cour vient donc des haies de myrtes qui longent le bassin. Cette plante reste verte toute l'année et ses feuilles dégagent un parfum agréable.

"A l'époque où, dans le reste de l'Europe, on bâtissait des châteaux en Espagne, à Grenade, on faisait des palais sur l'eau" (D. Jesús Bermúdez)

Le visiteur médiéval, situé dos au Sud, après être entré par la porte principale, se trouvait face à un **énorme miroir d'eau** *dans lequel se reflétait la masse blanche de la Tour de Comares et, comme l'inclinaison des sols de marbre blanc permettait à l'eau d'arriver jusqu'à la naissance des bases des colonnes du côté Nord, celles-ci semblaient reposer sur l'eau; toute la construction de ce côté, y compris la tour, se transformait en un palais flottant. Ce bassin à la fonction de miroir allait être copié, trois siècles plus tard (1630-47), dans le fameux Taj Mahal d'Agra en Inde (ci-dessous).*

L'absence des petites tours *latérales est visible sur des gravures, comme celle de Lewis de 1835 (ci-dessus), ainsi que la continuité du plafond des arcades et de la Salle de la Barque. Il devait y avoir une seule tour couronnée de créneaux, du côté Est, qui protégeait la porte utilisée aujourd'hui pour entrer à la cour.*

L'eau est la vie mystérieuse de l'Alhambra; elle est la source de la végétation exubérante des jardins, la splendeur des arbustes en fleur, dort dans les bassins qui reflètent les élégantes salles flanquées d'arcades, chante dans les fontaines et circule tel un murmure, par d'étroites rigoles, dans les salles. "Un verger traversé par de petites rivières" le paradis est décrit ainsi dans le Coran. (Titus Burckhardt)

Si Dieu est l'unité éternelle, la création n'est qu'une partie de l'ensemble, fragile, mortelle, double. Cette idée des deux images de tout ce qui existe et son mouvement permanent devient obsessionnelle tant par sa signification religieuse que par les effets esthétiques produits par sa représentation. Et cela jusqu'au point que l'architecte ne construisit que la moitié de ce que l'on désirait voir: le reflet de la propre réalité, légèreté fragile, l'ombre, l'autre visage. Ce qui peut être touché possède la même importance visuelle que l'image reflétée par le miroir, bien que celle-ci ne soit qu'une illusion. Dans le désert l'horizon semble également en mouvement constant, créant des mirages inaccessibles.

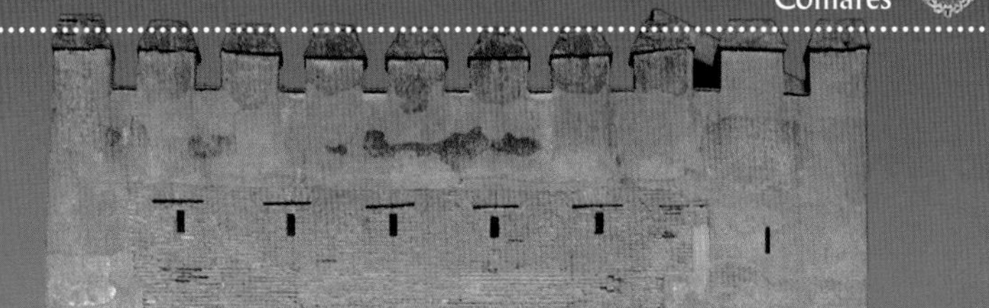

Même si il a souvent été dit qu'il n'y avait pas de lambris de céramique le long des murs latéraux mais seulement des plates-bandes plantées de jasmin et de roses, il suffit de voir la forme découpée dans la partie inférieure des encadrements des arcs des portes, pour comprendre qu'à cette hauteur, il existait bien un lambris d'alicatado.

A droite la Mosquée de Marracheh (XIVè siècle), avec une solution similaire.

Alicatado. (Revêtement d'azulejos)

Le nom de ce travail, sorte de marqueterie en pierre, vient de l'outil - alicate: de alqata (la pince, la coupure)- utilisé pour retailler les petites pièces de céramique. Celles-ci sont assemblées à l'envers, et recouvertes de plâtre. Quand le plâtre est sec, elles sont placées à l'endroit choisi. Les pièces des mosaïques composées de mêmes éléments étaient certainement réalisées avec un moule, profilées ensuite avec l'alicate. Dans le cas de l'alicatado proprement dit, la pièce de céramique était une sorte de galette travaillée, une fois cuite, avec le petit pic de tailleur et l'alicate. Ces techniques ne sont plus employées dans notre pays mais le sont encore au Maroc, pays héritier d'une richesse artisanale que al-Andalus partagea à l'époque avec le Nord de l'Afrique.

L'argile, dans le cas de Grenade, provenait certainement des rives de la rivière Beiro. Pour les mosaïques, le plus intéressant ce sont les couleurs: galène, sables siliceux et minéraux plombiques, étaient d'abord fondus dans des fours, et ensuite triturés pour obtenir une très fine poudre. Les pièces étaient plongées dans un mélange de poudre, colorants et eau, avant leur cuisson.

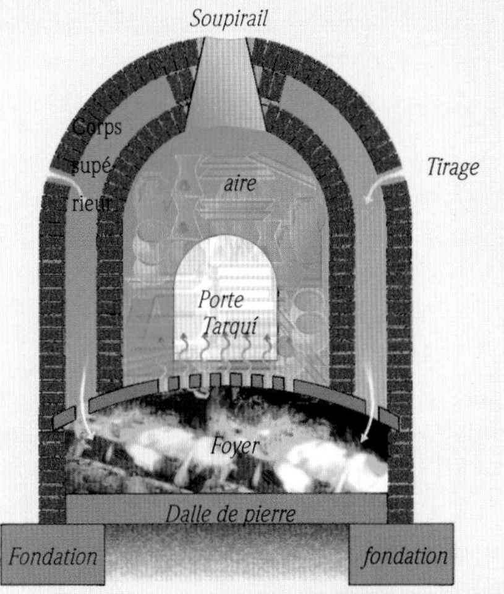

La cuisson *était réalisée dans des moufles ou fours à trois étages (foyer, aire, supérieur) et durait 24h, autant pour le refroidissement. La température pouvait atteindre 900 degrés.*

Virtuosité et raffinement dans la réalisation technique de ces colonnes de la Salle du Trône (Sala del Trono), où les pièces s'adaptent à la courbure de l'élément architectonique.

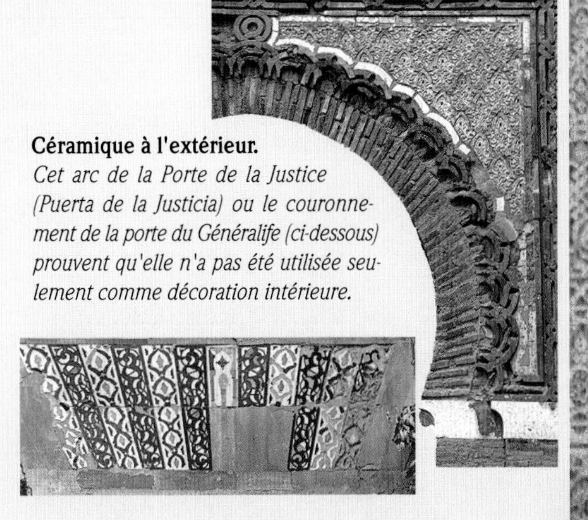

Céramique à l'extérieur.
Cet arc de la Porte de la Justice (Puerta de la Justicia) ou le couronnement de la porte du Généralife (ci-dessous) prouvent qu'elle n'a pas été utilisée seulement comme décoration intérieure.

Mystique et mathématiques

Les principes de composition de base du système ornemental islamique sont principalement la répétition et la stylisation. Le rythme est un élément de base dans tous les arts de l'Islam, la poésie et la musique incluses. Dans l'art, les motifs ou les dessins ornementaux se succèdent suivant des rythmes répétitifs jusqu'à l'infini, telle une métaphore de l'éternité qui rempli l'espace; il s'agit de formules élaborées à partir de la multiplication et de la division, par rotation et distribution géométrique. Il existe une véritable fascination pour la répétition, la symétrie et le renouvellement continuel des motifs. Il en résulte un effet dynamique mais à la fois immuable, dans lequel chaque motif faisant partie de l'ensemble de la décoration conserve son identité, sans se distinguer par rapport aux autres. Le détail ne domine jamais l'ensemble. C'est l'unité dans la multiplicité et la multiplicité dans l'unité. On obtient harmonie complète et tranquillité, un art du repos où les tensions disparaissent. (Prof.Borrás).

Au niveau des formes, il y a deux sortes de revêtements de céramique dans l'Alhambra:

- *Des mosaïques où se répètent un ou plusieurs éléments, souvent fabriqués à partir de moules, pour couvrir la surface de façon périodique (une figure de base dont la reproduction sur deux axes produit l'ensemble).*

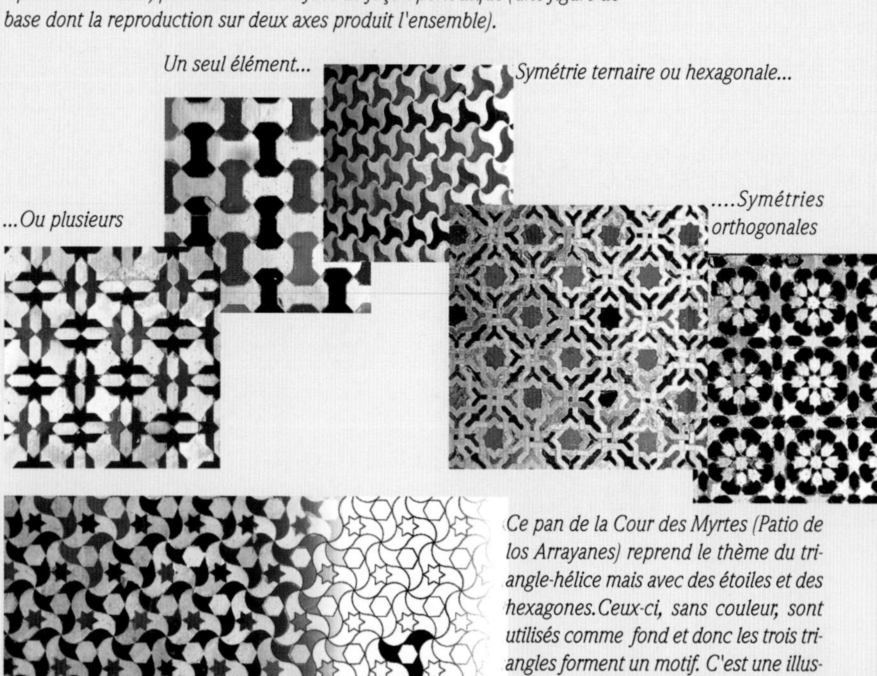

Un seul élément...

Symétrie ternaire ou hexagonale...

...Ou plusieurs

....Symétries orthogonales

Ce pan de la Cour des Myrtes (Patio de los Arrayanes) reprend le thème du triangle-hélice mais avec des étoiles et des hexagones. Ceux-ci, sans couleur, sont utilisés comme fond et donc les trois triangles forment un motif. C'est une illustration magnifique de la versatilité de la création, symbolisée d'abord dans l'eau, et dans cet azulejo qui lui ressemble et l'explique.

Revêtements de céramique dans lesquels aucun élément ne peut être isolé, car y interviennent des processus successifs d'échelle, de rotation, de sauts de niveau, qui rendent l'ensemble indivisible.

Niche du Trône dans le Salon des Ambassadeurs

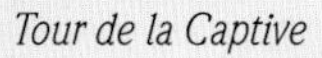

Tour de la Captive

Dans ce cas, c'est la symétrie qui est utilisée par rapport à un, deux, trois, quatre, six axes du plan, et les jeux où des éléments plus petits se combinent pour en former d'autres supérieurs, comme dans ce lambris de Lindaraja, avec trois sortes d'étoiles, chacune incluant l'inférieure.

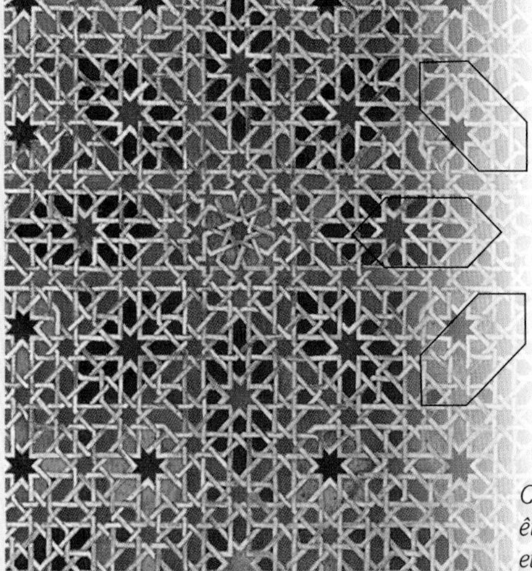

Ces rythmes répétitifs peuvent être reproduits jusqu'à l'infini et occuper de grandes surfaces. L'Alhambra est un authentique musée de figures géométriques aux tracés ingénieux.

La complexité mathématique des revêtements d'azulejos a toujours fasciné les artistes et les chercheurs. L'un d'eux, le dessinateur hollandais Maurits C. Escher s'est inspiré, pour ses expériences visuelles sur l'assemblement des tesselles et les jeux fond/formes, des azulejos de l'Alhambra qu'il visita la première fois en 1926 et lors d'un second voyage en 1936, date de ce croquis.

Dessin de Escher, 1938. Crayon et aquarelle.

Sous de règne de Yussuf Ier , la cour était une esplanade ouverte. Son fils Muhammad V fit construire la galerie Sud, pour compléter ainsi une enceinte qui synthétise le megaron grec et l'atrium romain.

La galerie Sud.

La corniche du Palais de Charles V brise les lignes fragiles et flottantes de la Cour, en juxtaposant son imposante masse de pierre; ce sont deux façons de comprendre l'espace et les formes.

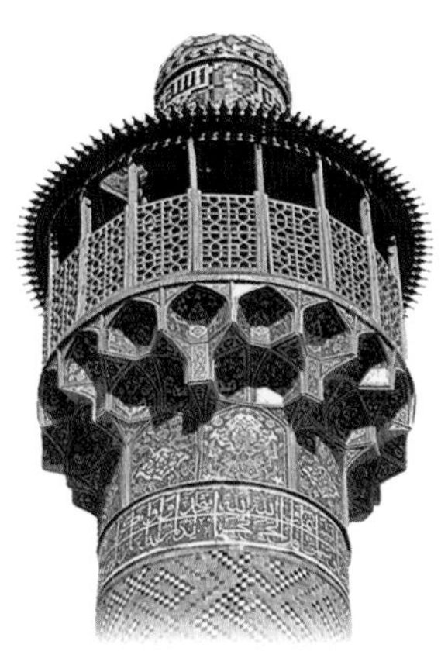

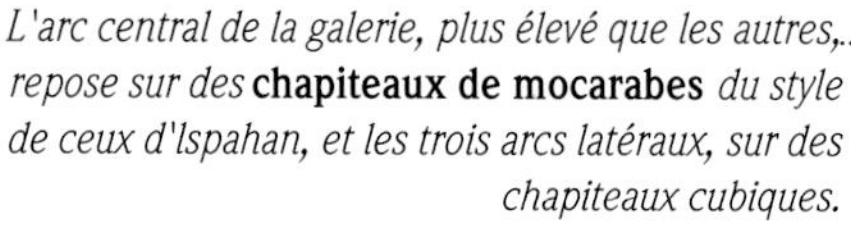

L'arc central de la galerie, plus élevé que les autres, repose sur des **chapiteaux de mocarabes** *du style de ceux d'Ispahan, et les trois arcs latéraux, sur des chapiteaux cubiques.*

Sur les inscriptions des décorations de plâtre et de bois de ce portique Sud, prédominent les louanges à Dieu. Certaines, sauf celles dédiées au Sultan, sont des copies des inscriptions du côté Nord.

L'intrados *de l'arc musulman a une fine décoration à partir de motifs végétaux dans de délicats tons de bleu, et au-dessus de l'arc, il y a trois fenêtres fermées par des jalousies de plâtre.*

Le côté Sud de la cour est décoré d'un lambris très moderne copié de la céramique du XVIè s.

Derrière l'arc central se trouve la crypte du Palais de l'Empereur, précédée des vestiges d'une salle coupée en diagonale par les pierres du palais Renaissance. Actuellement il n'y a pas d'entrée à partir de cette Cour (ci-dessous).

Il y a un **troisième étage** *au-dessus de celle salle. Il s'agit d'une galerie couverte d'un plafond à caissons, et formée par sept autres arcs. Celui du centre a un linteau droit plus haut que les autres, reposant sur des coussinets de bois.*

Sur le toit de cette galerie, il y a une **longue salle** *ouverte sur la cour par sept fenêtres, -celle du centre à meneaux-, les jalousies en bois sont modernes; cette longue salle, qui communique avec la partie supérieure de la Cour des Lions était réservée aux femmes. Elles pouvaient observer discrètement la cour, sans être vues.*

Dans les deux murs latéraux, cinq portes ouvrent sur de petites dépendances. Ces salles, dont la fonction n'est pas clairement déterminée, ont deux étages. Le plus élevé est éclairé par des balcons à meneaux. Certains pensent qu'il s'agissait de salles réservées aux femmes du fait de la présence d'estrades de brique mais, à l'époque, les fonctionnaires travaillaient assis par terre sur des estrades.

Galerie Nord

La galerie Nord présente de grandes similitudes avec celle du Sud car nombre des éléments décoratifs et épigraphiques de ce portique du Midi sont calqués sur ceux de la galerie Nord.

John Dobbin, 1870

Un poème de Ibn Zamrak est inscrit au-dessus de la plinthe du XVIè siècle. Une des strophes se réfère à Muhammad V:

"Tu as conquis Algeciras à la force de l'épée, ouvrant une porte inconnue jusqu'alors pour notre victoire".

*L'***Arbre de Vie** *couronne la bande épigraphique du mur. Ce genre de représentations où des éléments végétaux se déploient depuis le sommet fait allusion à l'arbre renversé qui supporte les astres de l'univers et plonge ses racines dans le paradis.*

Le **plafond à caissons** *de cette galerie fut détruit, ainsi que celui de la Salle de la Barque, lors de l'incendie de 1890 et reconstruit ensuite, en récupérant très habilement de nombreux morceaux calcinés (haut de la photo de gauche).*

La porte, magnifiquement restaurée au siècle dernier (1954), est un très bel exemple de la minuciosité et de la délicatesse "religieuse" des ébénistes nasrides.

Détail géométrique de la décoration de stuc.

Salle de la Barque, Baraka

C'est la longue salle entre la galerie et le Salon du Trône. Il y a deux alcôves flanquées d'arcs surhaussés, une à chaque extrémité, et un cabinet côté Ouest.

A Droite, arc d'accès d'après une gravure de Taylor-Asselinau (1855)

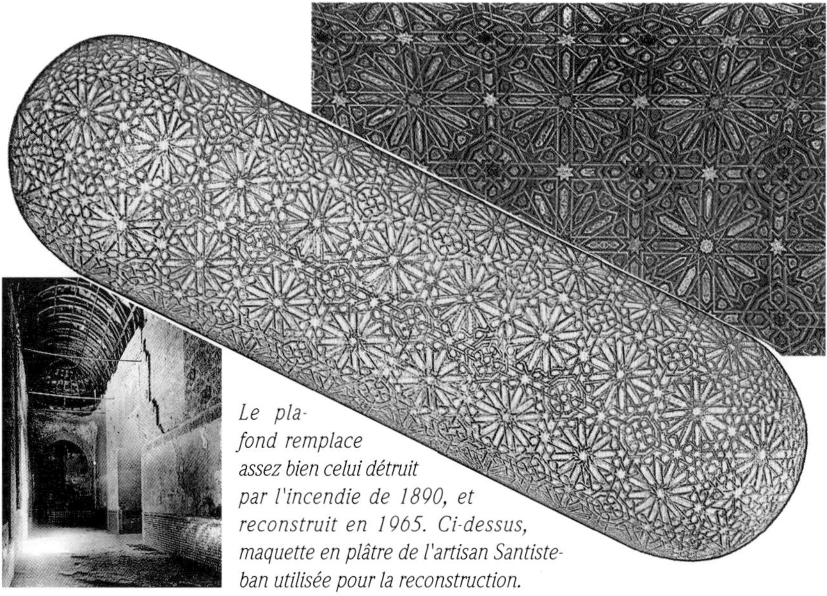

Le plafond remplace assez bien celui détruit par l'incendie de 1890, et reconstruit en 1965. Ci-dessus, maquette en plâtre de l'artisan Santisteban utilisée pour la reconstruction.

La formule **baraka**, bénédiction, apparaît partout. Ce fut la répétition de ce mot dans la Salle qui semble lui avoir donné son nom. De plus la forme du plafond, en "barque" retournée, fut le soutien visuel qui renforça cette dénomination

La céramique aux tons froids *des lambris, situe cette construction dans la première moitié du XVIè s.*

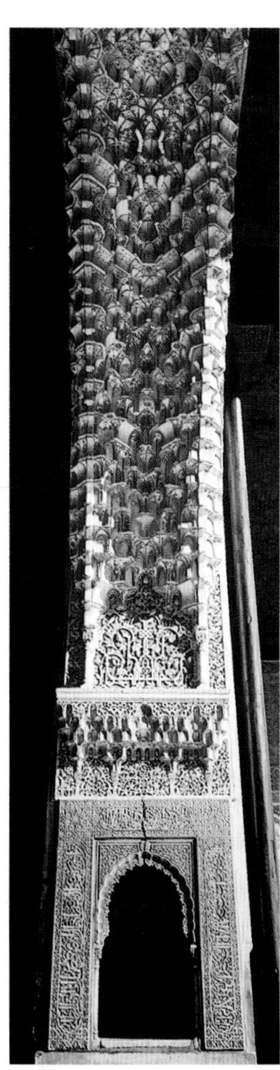

On peut encore voir dans les **alvéoles** *des mocarabes de cet arc un peu de la feuille d'or qui le décorait, et dans les niches ou takas des restes de polychromie.*

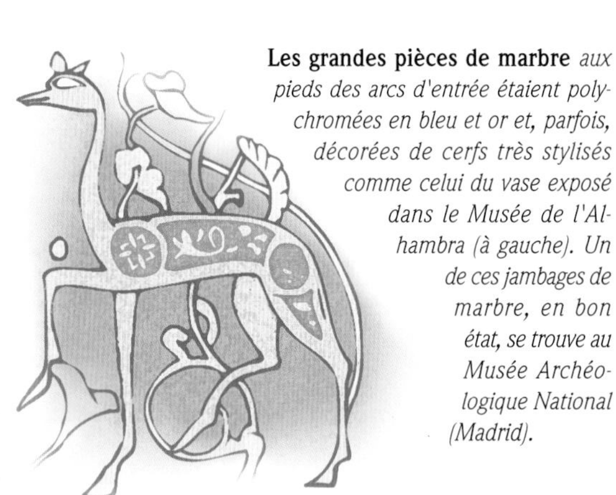

Les grandes pièces de marbre *aux pieds des arcs d'entrée étaient polychromées en bleu et or et, parfois, décorées de cerfs très stylisés comme celui du vase exposé dans le Musée de l'Alhambra (à gauche). Un de ces jambages de marbre, en bon état, se trouve au Musée Archéologique National (Madrid).*

Dans les jambages de l'arc d'entrée de cette salle il y a des niches de marbre joliment sculptées. On y plaçait des flacons remplis d'eau, de parfums ou de fleurs; presque toujours de l'eau comme symbole d'hospitalité d'après ce qui ressort de la traduction des poèmes inscrits autour des niches.

"Loué soit Dieu. J'éblouis les êtres beaux par mes ornements et mon diadème, car les étoiles descendirent à moi de leurs demeures élevées. La jarre d'eau que j'abrite est comme un fidèle en prière dans son temple. Malgré le temps qui passe, je continuerai mon action généreuse en soulageant celui qui a soif et en abritant l'indigent...Je ressemble au trône d'une épouse, mais je lui suis supérieur car je contiens le bonheur des époux. Celui qui viendra à moi assoiffé, je le conduirai dans un endroit où l'eau y est claire, fraîche et douce. Je suis l'arc-en-ciel et le soleil est notre seigneur Abul Hachach.

La Salle des Ambassadeurs

Centre symbolique du pouvoir nasride, il représente la magnificence de la dernière cour musulmane en Europe. Ici, tout est raffinement et splendeur, depuis la feuille d'or, que l'on distingue encore dans l'arc d'entrée, les mosaïques et jusqu'à la prodigieuse coupole qui couronne l'ensemble.

Le tracé du Salon *révèle la véritable fonction de la Tour de Comares bâtie comme une tour militaire avec ses 45 m de haut. Les trois profondes alcôves de chaque côté qui la rendent vulnérable comme structure défensive, montrent bien le caractère aulique du Salon. Les plafonds à caissons sont magnifiques.*

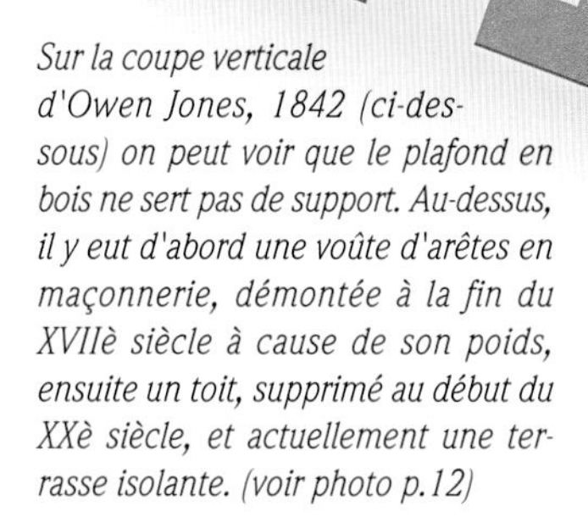

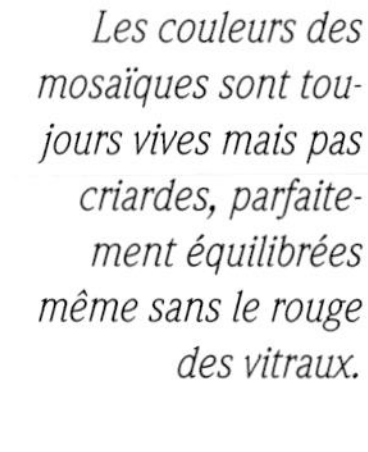

Les cinq fenêtres ouvertes sur chaque côté de la tour sont une réminiscence de l'architecture du désert. Les plus lumineuses, au Sud, ont été fermées pour renforcer le mur. Aujourd'hui, on peut apprécier l'effet de la lumière dans la Salle de la Barque (ci-dessus): les éléments fixes semblent en mouvement sujets aux rayons du soleil reflétés par le bassin.

Le Salon du Trône ou des Ambassadeurs est aussi appelé Salon de Comares, mot d'origine arabe "qamariyya" qui signifie vitrail. Les alcôves colorées recevaient les hauts personnages et les dignitaires qui, comme dans les tentes, aimaient s'asseoir dans les coins.

Sur la coupe verticale d'Owen Jones, 1842 (ci-dessous) on peut voir que le plafond en bois ne sert pas de support. Au-dessus, il y eut d'abord une voûte d'arêtes en maçonnerie, démontée à la fin du XVIIè siècle à cause de son poids, ensuite un toit, supprimé au début du XXè siècle, et actuellement une terrasse isolante. (voir photo p.12)

Les couleurs des mosaïques sont toujours vives mais pas criardes, parfaitement équilibrées même sans le rouge des vitraux.

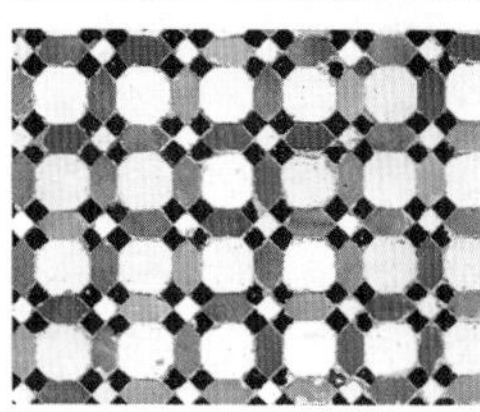

La fenêtre centrale, face à l'entrée, abritait le trône. C'est ce qu'il ressort des inscriptions qui figurent au-dessus de l'alicatado:

" [...] Yusuf [...] me choisit pour être le trône du royaume.

Depuis cet endroit, le Sultan exerçait un certain pouvoir psychologique sur les citadins qui devaient se sentir placés sous le regard protecteur du chef religieux, politique et militaire du royaume D'autre part, les ambassadeurs, dès le moment où ils se situaient au niveau de la porte d'accès à la Salle de la Barque, devaient eux aussi se sentir intimidés par l'imposante silhouette du sultan, assis à contrejour devant un vitrail de couleur, tandis qu'ils s'avançaient vers lui suivant une somptueuse mise en scène remplie de couleurs brillantes et dorés rutilants. Quand les fenêtres Sud étaient ouvertes, le Sultan, assis ou allongé sur son trône, pouvait jouir de la vision de la ville, de ses carmens et du ciel, et face à lui, de l'eau qui miroitait à la hauteur de ses yeux dans la cour des Myrtes.Les vitraux ont été détruits par l'explosion de 1590. Ils représentaient dans les fenêtres la continuation transparente des alicatados du lambris, avec la même distribution géométrique. Les lignes fines et droites qui s'entrecroisent dans la céramique étaient, dans les vitraux, les fils de plomb qui soutenaient les verres de couleurs. La lumière tamisée par ces couleurs se projetait sur un sol bleu et or dont il ne reste que quelques vestiges, protégés par des chaînes au centre de la salle. Toutes les pièces ainsi protégées ne sont pas d'origine.

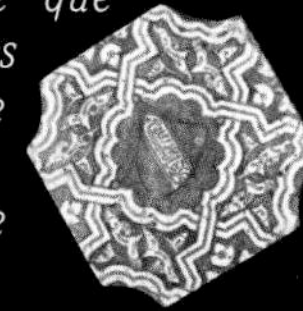

Le **plafond de la salle** est un chef-d'oeuvre de l'ébénisterie du royaume: ce sont 8017 pièces avec des reliefs superposés en bois de cèdre. Il est composé de plusieurs pans symétriques couronné par un cube de mocarabes au centre de la coupole.

Au cours de travaux on a trouvé une petite **planche de bois** *sur laquelle étaient inscrites des notes indiquant les couleurs du plafond (c'était probablement un guide pour les peintres). Dans cet ordre: blanc, rouge, beige, vert clair, un autre rouge, un autre vert et encore du rouge. La reproduction de la polychromie originale est basée sur l'étude réalisée par Darío Cabanelas. Ci-dessous, le plafond dans son état actuel.*

Sur le bord sur lequel repose le plafond, il y a une inscription:

"...Lui qui créa les sept cieux superposés; tu ne verras aucune discordance dans la création..."

Coran. Surate LXVII

Cela permet d'interpréter le plafond comme une représentation des sept cieux de l'eschatologie islamique.Cette conception géocentrique imaginait une terre plate sur laquelle se superposaient sept cieux concentriques, couronnés par le paradis où se plongeaient les racines de l'Arbre de Vie, support des astres et des galaxies. Elle est fondée sur la légende du voyage du Prophète au ciel, monté sur un cheval blanc en compagnie de l'Archange Saint Gabriel. Dans la description d'Ibn'Abass, le premier est fait d'émeraudes, le second de marguerites rouges, le troisième de jacinthes rouges, le quatrième d'argent, le cinquième d'or, le sixième de perles et le

La petite coupole *de mocarabes représente le paradis. Son centre était blanc et beige celui des autres étoiles, reflet imparfait de la divinité.*

Les étoiles, à huit et seize éléments, sont créées suivant des règles précises qui constituaient une discipline rigide. Gómez Moreno suppose cependant que leur confection était plus une affaire d'habilité dans le maniement des équerres que de calculs numériques.

Les murs, d'autre part, sont de véritables tapis où les ouvrages en plâtre et les inscriptions sont presque parfaits.

Les inscriptions en caractères coufiques, maghrébins et cursifs-andalous font surtout référence à des sujets religieux et à des louanges au sultan Yusuf Ier. Une devise y est très souvent répétée:

"Seul Dieu est vainqueur"

Panneau dans l'intrados de l'arc d'accès au Salon.

Le texte d'une inscription, à peine visible, dans le chapiteau d'un des arcs des alcôves, confirme le caractère public du Salon. Priant d'être bref:

"parle peu et tu repartiras en paix".?

Bande épigraphique en écriture cursive.

Étoiles à entrelacs. Les rubans qui semblent s'entrecroiser, générés à partir d'étoiles, donnent leur nom à ce travail décoratif.

Inscriptions en style coufique difficiles à distinguer, à simple vue, du jeu géométrique

Entrelacs d'arcs et de formes, similaires à ceux de la Porte de la Justice, de claire influence almohade.

Bande épigraphique de transition entre les motifs.

En dessous, des motifs de fleurs dans la

L' ARABESQUE

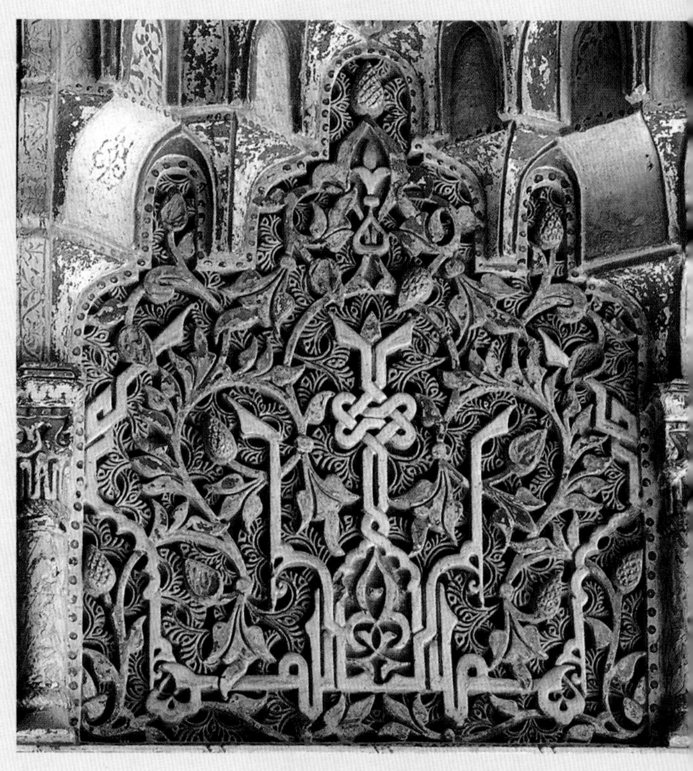

Inscription dans l'accès à la Tour de Comares.

L'arabesque avec sa répétition rythmique a un objectif artistique très différent de celui de l'art figuratif, presque opposé, car elle ne cherche pas à enchaîner le regard ni à le soustraire d'un monde imaginé, mais, tout au contraire, à le libérer de toute attache de la pensée et de l'imagination, comme le fait la contemplation du mouvement de l'eau, des épis de blé balancés par l'air, de la chute de flocons de neige, des flammes du feu. Cette contemplation ne produit aucune idée prédéterminée, mais un état existentiel qui est en même temps tranquillité et vibration intime.

Ceci est l'art abstrait, non produit par un tâtonnement mi-subjectif mi-conscient, c'est plutôt une règle totalement consciente. L'arabesque née du développement du sarment végétal obéit à la loi du rythme pur; de là son mouvement ininterrompu, ses phases opposées, l'équilibre entre des formes pleines et creuses. Les arabesques de l'Alhambra combinent des palmettes abstraites avec des fleurs stylisées et des lignes entrelacées géométriques, des langues de feu, des fleurs de jasmin, des flocons de neige, mélodie infinie et mathématiques divines ou bien "enivrement et sobriété" à la fois pour employer les expressions des mystiques musulmans. Des lignes d'écriture hiératique sont intercalées ou entrelacées dans cet ensemble, et parfois des arcs croisés montent de leurs fûts, comparables aux flammes des bougies.

Les roses géométriques ou étoiles qui se combinent et se développent sans cesse sont un pur produit de l'esprit islamique. Elles représentent le symbole de la manifestation de la réalité divine qui est le centre de tout, chaque être et chaque cosmos, et rien et personne ne peut prétendre en être le reflet, c'est pour cela qu'il se reflète de centre en centre jusqu'à l'infini. L'"unité de l'être" s'exprime dans ces entrelacements de deux manières: tressés d'une seule ligne et par son déplacement à partir de nombreux centres. Cette oeuvre parvient, comme aucune autre, à remplir de satisfaction l'artiste musulman.

Cet art a souvent été qualifié, à cause de son caractère abstrait et des formules, de "déshumanisé"; en réalité il sert à donner à l'homme un cadre approprié à sa dignité, à faire de lui un centre mais, à lui rappeler en même temps qu'il est le lieutenant de Dieu sur la terre (Titus Burckhardt).

LES DÉCORATIONS DE PLÂTRE

Cette décoration est indissociable de l'art nasride, et de l'art islamique en général. Le plâtre est un matériau délicat, il ne faut pas attribuer son utilisation au manque de moyens. L'art nasride rejeta l'emploi de la pierre dans les murs et les décorations et préféra, pour leurs vertus, la brique, le bois et le plâtre: matériaux qui respirent, absorbent les éléments polluants et amortissent les variations de l'humidité. Evidemment il existait également des considérations d'économie et de rapidité: le plâtre est beaucoup plus facile à travailler que la pierre.

Le professeur Borrás parle d'une évolution des formes, des plus simples de tradition almohade (les feuilles lisses) aux plus compliquées avec des nervures de tradition almoravide. Des éléments clairement définis, comme la pomme de pin, apparaissent souvent mais l'identification réaliste de l'"ataurique" (décoration en plâtre sculpté) reste difficile. L'homme ne peut arriver à la perfection de la nature, il renonce donc à la copier pour se consacrer à sa contemplation ou à réaliser un reflet de ses formes comme support de la parole divine. La coquille est un autre motif très reproduit, symbole de l'eau, origine de la vie, monopole du Créateur. Depuis Vénus jusqu'au baptême chrétien la coquille a toujours été synonyme de vie, de fertilité et de purification.

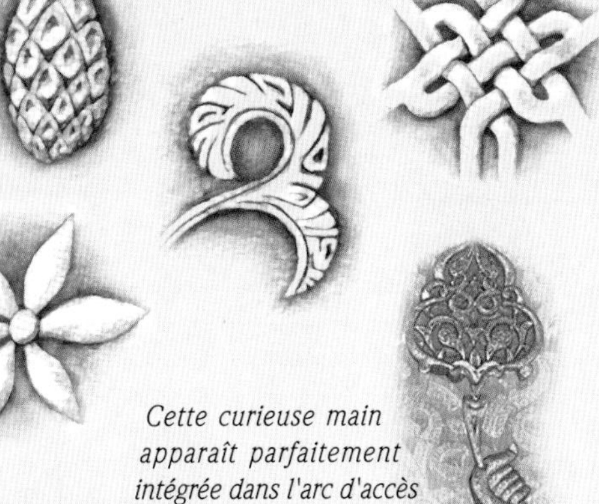

Cette curieuse main apparaît parfaitement intégrée dans l'arc d'accès au Mirador de Lindaraja.

L' EPIGRAPHIE ARABE

On entend par épigraphie l'écriture réalisée en différents matériaux (pierre, métal, bois, stuc, céramique, textiles, etc.) dans une multitude de styles et avec des prétentions esthétiques et symboliques.

La calligraphie est la manifestation artistique la plus importante de l'Islam et par conséquent le calligraphe est l'artiste le plus considéré socialement (Il faut respecter celui dont les paroles sont belles). Car la calligraphie donne une forme à la parole divine et a la même fonction iconographique que les images dans l'art occidental. "L'écriture arabe est comparable aux images sacrées de l'art chrétien et remplace ces images." (...) L'importance des inscriptions convertissent l'Alhambra en un authentique livre, qui a été brillamment qualifié comme "l'édition la plus luxueuse du monde" (Prof.Borrás).

Inscription en stuc dans la Tour de la Captive

En bois dans la même tour

En pierre dans la niche de Comares.

En céramique dans la Tour de la Captive

Le Coran a été écrit en arabe, cette langue a donc un caractère sacré et symbolique pour la civilisation musulmane, de sorte que la graphie arabe servit même pour noter d'autres langues (persan, turc, afghan, dialectes du Nord de l'Afrique...).
A droite, Coran Nasride. Manuscrit sur papier vélin XIVè siècle (B.N.Paris).

Le système graphique arabe ne possédait d'abord que des signes pour les voyelles longues et les consonnes, et pour celles-ci un même signe pouvait représenter plusieurs sons. Cette difficulté fit que, même si l'épigraphie officielle conserva d'abord une unité de style -coufique- les nécessités pratiques firent évoluer une écriture "utilitaire", avec des points diacritiques et des signes vocaliques auxiliaires. A partir du Xè siècle, cette écriture fut également utilisée dans les inscriptions comme graphies cursives ou nasji, et finit par dominer sur la coufique.

Les styles peuvent être classés de façon chronologique:

Coufique Archaïque, *avec la ligne de base du texte rigide horizontale, et formes géométrisantes. Les espaces vides ne s'utilisent pas*

Stèle funéraire (854 av. J.C.). Musée de Málaga.

Coufique Fleuri: *il stylise les caractères et ajoute des détails floraux et décoratifs. Innovation abasside, il apparaît cependant dans Al-Andalus avec l'instauration du Califat Ommeyade.*

Madinat-al-Zahra (956 ap. J.C.)

Simple: *variante impulsée par le Califat cordouan al-Hakam (961), élimine les détails végétaux mais les traits évoluent.*

Stèle funéraire cordouane (1193 ap.J.-C.)

Mihrab de la Aljafería (Saragosse)

Les royaumes de Taifas développèrent des variantes locales, à partir du coufique fleuri et du simple.

Mqabriyya almohade (1221). Musée de Málaga.

Coufique almohade. Co-existant avec la cursive; le coufique s'enrichit avec des détails courbes dans la partie inférieure, finitions décoratives et fonds végétaux de remplissage.

Cursif. Ecriture plus utilitaire et lisible, son emploi coïncide avec l'emploi de matériaux plus versatiles, comme le stuc ou le bois. A partir du XIIè siècle elle prédomine dans presque tout l'Islam.

La préférence pour certains styles ou formules renvoie aux orientations idéologiques du pouvoir à une époque déterminée. Dans certains cas on peut également parler d'une fonction de propagande de l'épigraphie. Ainsi, face à un répertoire de formules propitiatoires pour le souverain, et une grande utilisation du coufique dans le califat ommeyade ou dans la période taifa, la réforme almohade a généralisé l'usage de la cursive et doté de contenu religieux les écrits. Les pouvoirs politique et religieux sont étroitement unis dans le monde islamique.

Les Nasrides ont récupéré le formulaire relatif à la fondation du Califat et utilisé la cursive et le coufique de façon simultanée dans leurs inscriptions, avec une grande bigarrure de fonds végétaux, comme on peut le constater dans cet exemple de la Cour des Myrtes. La formule est la devise nasride: " Seul Dieu est vainqueur" (ci-dessous, en cursive).

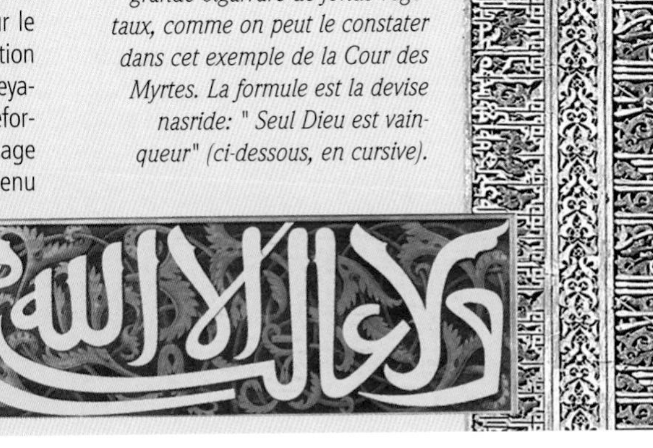

Les pièces supérieures de la Tour -jusqu'à quatre étages- sont construites dans l'épaisseur du mur sud. La plus grande est celle du troisième étage, avec une fenêtre double (à gauche) et une voûte en demi berceau. C'était probablement les dépendances privées du sultan qui devait voir depuis cette position privilégiée la Cour des Myrtes et une bonne partie de la ville aristocratique.

Le panorama depuis le haut de la Tour de Comares explique les raisons qui ont amené les rois nasrides à choisir la colline de la Sabika comme siège et "diadème" du royaume. La tour, espace traditionnel et sans limites du désert, tente décorée avec élégance et somptuosité, est ouverte aux quatre horizons, à l'air et aux étoiles. Vigilante et orgueilleuse elle ne montre que sa peau rugueuse de fruit tropical et cache la douce saveur de sa sagesse intérieure.

"Je suis l'épouse avec mes habits de noces, belle et parfaite. Regarde cette jarre d'eau et tu comprendras l'abondance de vérité que renferment mes paroles. Regarde aussi ma couronne, tu la trouveras semblable à la lune nouvelle..."

Niche de marbre de Macael dans l'arc d'accès à la Salle de la Barque depuis les portiques de la Cour

Patio de los Leones

La Cour des Lions

Roberts, 1835.

C'était le centre de la demeure privée du Sultan où se trouvaient les dépendances réservées aux femmes. Il serait incorrecte de l'appeler harem car, elle ne servait pas uniquement de gynécée mais pouvait également jouer un rôle au niveau de l'activité diplomatique et politique du royaume. Le 30 décembre 1362, il n'y avait qu'une salle ouverte sur la Cour des Lions, la Salle des Deux Soeurs (Sala de las Dos Hermanas). C'est à partir de cette date que commença la construction des autres bâtiments.

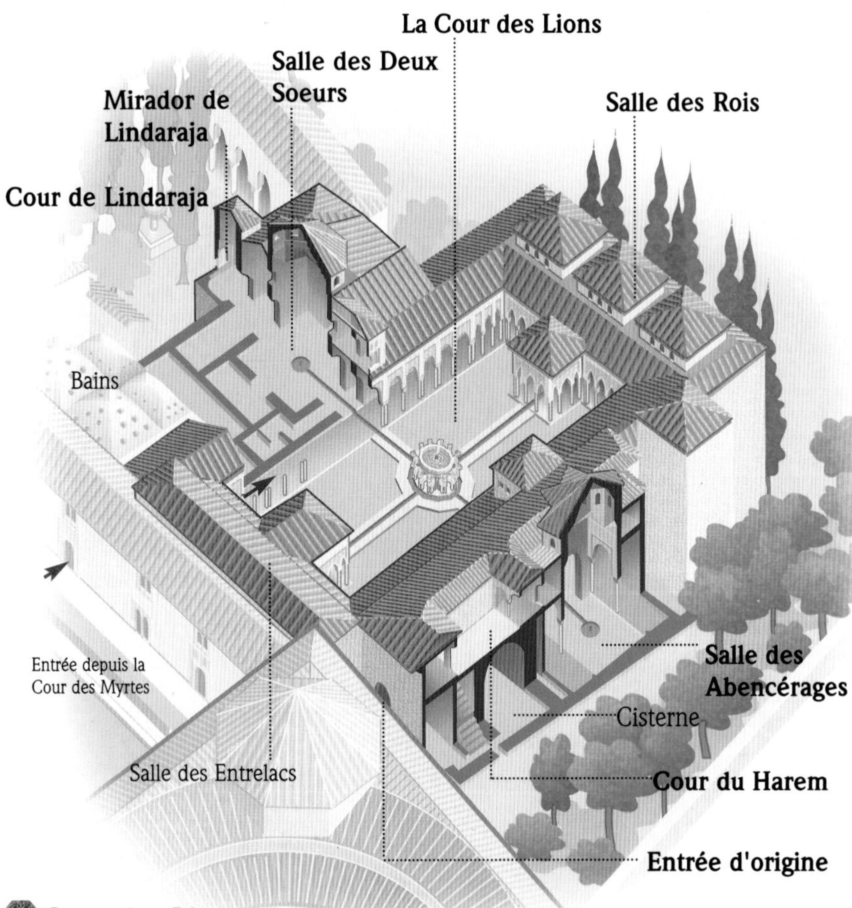

Cour des Lions

Une fois franchie la porte d'entrée de la Cour des Lions, on ressentait, une fois encore, ce développement progressif et lent de la beauté de la Cour quelque soit le sens du chemin choisi, imposé par le cloître. Le visiteur se trouvait face à une forêt de colonnes dorées qui, peu à peu, prenaient l'aspect des franges d'une dentelle sus-pendue au ciel car, les plantes du jardin du centre cachaient les fûts des colonnes reposant sur leur base de marbre.

Auvent *en bois polychromé, avec des modillons sculptés. Il protège la décoration des arcs et des colonnes.*

La devise nasride ***"Seul Allah est vainqueur"*** *est reprise plusieurs fois sur la bande épigraphique.*

Les colonnes supportent des ***pilastres*** *sur lesquelles repose une structure déprimée. La décoration entre les pilastres est basée sur* ***de petits arcs ajourés.***

Originellement, les chapiteaux cubiques étaient polychomés. L'uniformité des chapiteaux et des arcs n' est qu'apparente. Il existe une grande diversité décorative, invisible à première vue.

"L'art grenadin se caractérise par la l'emploi de multiples formes individuelles, les chapiteaux des colonnes de la Cour des Lions en sont un exemple. Depuis les chapiteaux lotos égyptiens, jamais les colonnes n'avaient été couronnées d'une façon aussi élégante; si nous entendons par élégance la combinaison entre la plus grande simplicité et la plus grande envergure des formes". (Oleg Grabar).

Les fûts des colonnes sont unis à leurs chapiteaux et bases par des joints de plomb qui servent autant pour la dilatation que pour l'assise parfaite des trois éléments de la colonne.

Dans l'Alhambra, l'espace est ouvert tout comme dans le désert où même l'intimité est sous les étoiles. La Cour des Lions n'est pas une maison avec un jardin mais, un jardin avec une maison qui devait être contemplé depuis les angles et au ras du sol; l'image (à gauche) répond parfaitement la "façon de regarder" des constructeurs.

Les spécialistes ont longtemps débattu autour de l'aspect que devait avoir la cour et leurs conclusions furent très variées.

Une inscription dans la Salle des Deux Soeurs:
"As-tu déjà vu un jardin aussi beau?"

"Nous n'avons jamais vu de jardin plus fleuri ni plus parfumé...".

A présent, les fleurs ont disparu des jardins et ne couvrent plus les colonnes de marbre. Il ne reste qu'un magnifique squelette, le cadre auquel la végétation donnait un sens.

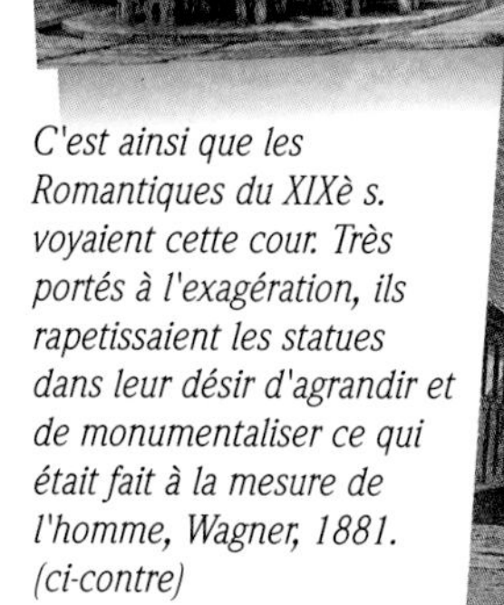

C'est ainsi que les Romantiques du XIXè s. voyaient cette cour. Très portés à l'exagération, ils rapetissaient les statues dans leur désir d'agrandir et de monumentaliser ce qui était fait à la mesure de l'homme, Wagner, 1881. (ci-contre)

C'est l'intérêt suscité pour le monument par l'oeuvre d'écrivains comme Washington Irving qui marqua le début des premières restaurations. Au début, elles étaient basées sur un principe de décoration ayant pour but de faire revivre le monument tel qu'il était à l'origine. Les restitutions n'étaient pas toujours bien fondées.

En 1858, Rafael Contreras installa la coupole du petit temple Est (ci-dessous) et les tuiles vitrées qui le faisait ressembler aux modèles persans auxquels il était comparé.

En 1934, Leopoldo Torres Balbás élimina la coupole pour revenir à une conservation moins interventionniste. Celle-ci ne recherche pas le "monument d'origine" mais conserve ce qui existe et les interventions réalisées sont clairement définies et servent à mettre en valeur des zones dégradées (cas du Partal).

A gauche photographie de 1860

Pour retrouver l'aspect d'origine de la cour, il faut étudier l'ensemble des références symboliques des artisans. Ainsi, depuis certains angles, la forêt de colonne rappelle la palmeraie de l'oasis telle que l'imaginait Francisco Prieto dans ce dessin. De petites rigoles circulent à l'ombre d'une végétation toujours dense. Ci-dessous, une photographie de Ciganovic (1966) nous montre l'une des nombreuses "adaptations" subies par la cour au siècle dernier.

Dans la tradition islamique l'hortus conclusus, jardin entouré de murs, est l'image du paradis. Le nom coranique Al-yanna renferme les deux significations: "jardin" et "lieu caché". Les surfaces délimitées par les quatre rigoles, à présent recouvertes de sable, étaient des plates-bandes plantées de fleurs et de plantes aromatiques. Les rigoles font allusion aux quatre rivières du paradis qui coulent entre le centre et les quatre points cardinaux. (Professeur Manzano).

D'après des comparaisons avec d'autres cours connues, le sol était peut-être à un niveau inférieur à celui des allées, les plantes créaient alors un tapis de couleurs. Le tapis, invention orientale, n'est autre que le jardin décorant l'intérieur de la maison.

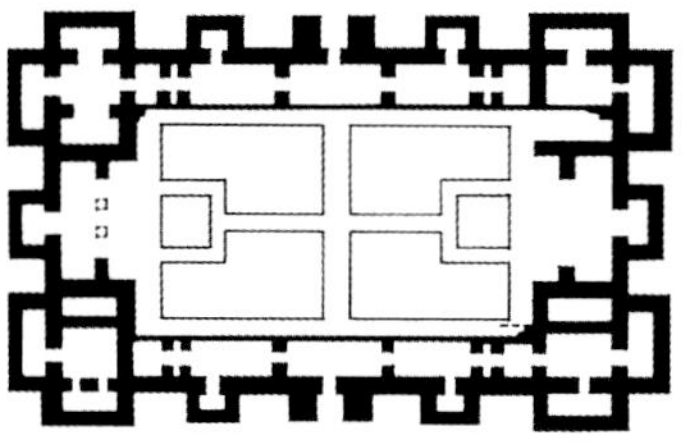

Plan du palais de Monteagudo, à Murcie, du XIIè s., d'après plusieurs auteurs il aurait servi de modèle pour la Cour des Lions.

Il existe de grandes similitudes entre la Cour des Lions et les cloîtres bénédictins qui prolifèrent au Moyen-Age (sur la photo, monastère de la Seo de Urgell). Muhammad V, le constructeur de la Cour, est décrit dans des documents de Fez comme "enfariné" de chaux et de plâtre dirigeant personnellement les travaux. Il fut écarté du trône pendant deux ans par son cousin, période pendant laquelle il vécut à la cour du roi de Castille Pierre Ier le Cruel, son ami et protecteur qui l'aida à récupérer le pouvoir. C'est à son retour (1362) qu'il construisit la Cour. Cette période fut caractérisée par la tolérance et les échanges culturels entre musulmans et chrétiens; en Castille la noblesse engageait, pour la décoration des tours et des plafonds, des artisans de Grenade qui mirent "à la mode" l'art mudéjar tandis que la fleur de lis décore la plus belle coupole de l'Alhambra dans la Salle des Deux Soeurs.

S'il est vrai qu'il existe des modèles antérieurs comme à Murcie (Monteagudo), la singularité de la Cour est cependant une sorte de synthèse d'anciennes traditions concrétisée dans cette oeuvre unique, la réussite et l'apogée de toute une culture.

Le sol actuel a substitué assez récemment le dernier jardin; toutes les plantes ont été arrachées pour que les racines et l'humidité n'abîment pas la structure. Il y a maintenant quatre espaces en béton avec des tuyaux de décharge et les orangers sont plantés dans des pots.

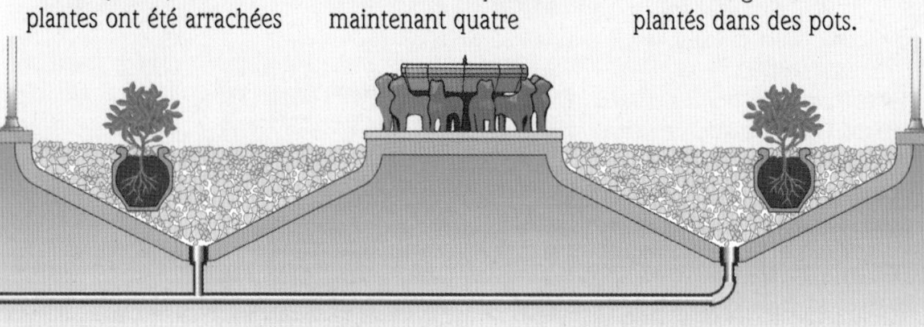

Les deux galeries à arcades, côtés Est et Ouest de la Cour, abritent chacune une petite fontaine. Elles appartiennent également à l'image du jardin paradisiaque: le Coran décrit le paradis avec de hauts baldaquins (rafraf) ou tentes. Il faut rechercher le modèle de ces "tentes" qui flottent sur de délicates colonnes en Orient, dans l'art persan si présent dans de nombreux détails de cette partie de l'Alhambra.

Les plafonds travaillés en caissons de ces pavillons conservent encore quelques restes de polychromie. Ce sont deux parfaites demi sphères obtenues à partir d'éléments plats.

Au centre de la Cour la Fontaine aux Lions rafraîchit l'air en faisant jaillir l'eau par les gueules de douze lions de marbre blanc qui, placés en cercle, semblent observer les moindres recoins du patio. Sur leurs dos repose une vasque dodécagonale.

Une théorie avance l'hypothèse d'une fontaine polychromée et certains indices démontrent que les sculptures ont été grattées. On pense également que ces lions, datant probablement de la fin du Xè s. ou du début du XIè s., proviennent d'un palais appartenant à Ibn Nagrela, situé près de l'Alhambra.

Une seconde vasque, placée sur celle des Lions, apparaît sur les gravures du XIXè s. Elle se trouve aujourd'hui dans les jardins de l'Adarve (à droite). A gauche, une illustration de Nicolas Chapuy, 1844.

La fontaine originale reprend un symbole très ancien: le lion et l'eau qui jaillit de sa gueule sont comme le soleil qui donne la vie. Après plusieurs étapes intermédiaires, ce symbole est arrivé jusqu'à l'Alhambra depuis l'Orient préchrétien. Les douze lions représentent les douze soleils du zodiaque, les douze mois qui, dans l'éternité, existent de façon simultanée. Ils soutiennent la mer comme les douze taureaux de fer du temple de Salomon, et cette mer reçoit les eaux célestes. Il est presque impossible de dire si les constructeurs des fontaines de l'Alhambra avaient encore conscience de ce symbolisme. (Professeur Manzano)

Une très belle qasida d'Ibn Zamrak inscrite sur le bord de la vasque explique de nombreux détails de la cour et de la fontaine elle-même:

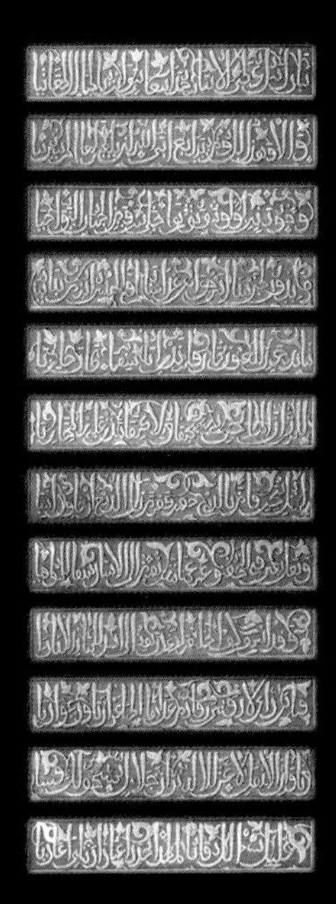

"Béni soit celui qui concéda à Muhammad d'aussi belles demeures. Ce jardin ne nous offre-t-il pas une oeuvre que Dieu a voulu sans pareille? Des perles à la splendeur vibrante orne sa base. L'argent liquide glisse entre ses bijoux, magnifique de blancheur et d'éclat. A la vue, la matière liquide (argent) et la solide (bijoux) se confondent, nous ne savons plus qui glisse. Ne vois-tu pas comment l'eau déborde et se cache à l'instant? Comme un amant qui retient ses larmes par crainte d'être observé. Qu'est-elle sinon un nuage qui verse ses bénéfices sur les Lions? La main du calife, comme elle, déverse ses bienfaits sur les lions de la guerre..."

La fontaine aux Lions est le plus bel exemple d'un des apports les plus significatifs des Nasrides au développement: le génie de l'eau porté au raffinement. Ils connaissaient les systèmes d'irrigation conséquences des inondations périodiques et les anciens aqueducs qui ignoraient la loi des vases communiquants. Le réseau de canalisations à Grenade, basé sur l'écoulement naturel de l'eau, représenta une véritable révolution agricole et sociale qui émerveilla tous les voyageurs. Les palais et l'ensemble de l'Alhambra étaient approvisionnés en eau par l'Acequia Royale; eau qui s'accumulait dans un bassin construit dans la partie la plus élevée de la médina ce qui donnait la pression nécessaire. C'est peut-être pour cette raison que les palais n'ont pas été construits sur le point le plus haut de la colline de l'Alhambra -le Secano- justement pour qu'une pression suffisante fasse fonctionner les fontaines et les petits canaux, élément crucial de l'architecture naside.

A droite: dessin de la fontaine vue du dessus et section du corps supérieur.

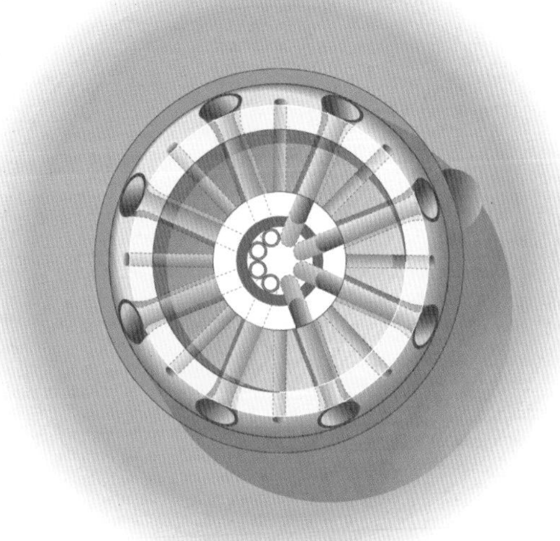

La pression naturelle était assez puissante à cause du dénivellement. En remontant par les larges tuyauteries l'eau perdait de sa force et tombait doucement dans la vasque sous la plaque visible. Un tuyau prend l'eau pour la gueule des lions et juste au-dessus des entrées il y a des déversoirs plus étroits, calculés de façon à ce que le niveau de l'eau soit toujours constant et la pression et le fluide uniformes. Le jet restait brillant et se transformait en "perles à la splendeur vibrante" en revenant à la lumière par la gueule des lions. Maintenant, le système hydraulique est démonté. La partie supérieure est exposée dans la Salle de Présentation de l'Alhambra (à gauche).

L'ALAMBRA ET LA LUMIÈRE

L'orientation des Palais transforme chaque recoin ou colonne en aiguille d'un cadran solaire, comme un gnomon (dessin de droite). C'est la conséquence d'un alignement Nord-Sud de toutes les dépendances. Pour y parvenir même des vallons ou des dénivellements ont été comblés (Tour de Comares, des Dames, etc.) pour conserver cette orientation jusqu'à des dixièmes de degré.Ce n'est pas non plus par hasard que les pièces

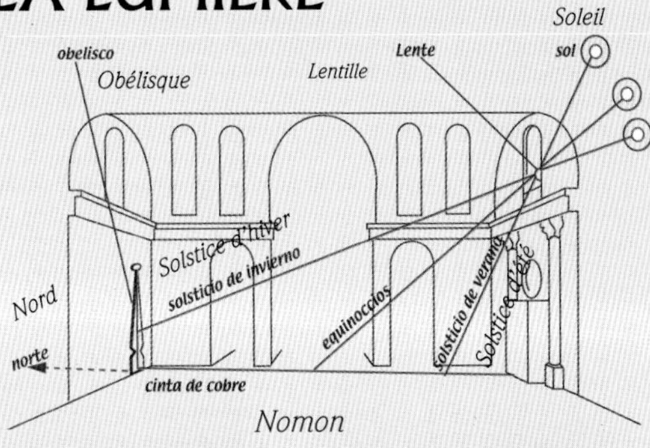

Ci-dessus, Salle des Deux Soeurs. Le petit rayon de lumière dépassant le midi solaire, à 2h14' en été à cause de la latitude 14° à l'O de Greenwich de Grenade, plus la correction horaire.

soient plus ensoleillées en hiver qu'en été grâce aux auvents et aux corniches. Les "alcôves" des cours sont ainsi particulièrement agréables en hiver, recevant les rayons du soleil mais protégées du vent. Logiquement, pendant les mois les plus chauds le phénomène est inverse: le soleil est assez haut et ses rayons atteignent à peine le marbre évitant ainsi que les façades et les sols ne chauffent trop. Les parties les plus ensoleillées en hiver restent dans l'ombre et il émane, des alcôves du Sud, une fraîcheur naturelle, envie des systèmes modernes d'air conditionné

Midi. Ombres courtes et perpendiculaires dans la Galerie Nord des Myrthes à l'équinoxe d'été.

Ci-dessous, cadran solaire de la Chartreuse.

Salle des Abencérages

A Grenade, la légende et l'histoire se confondent tellement qu'il est souvent difficile de distinguer l'une de l'autre. "Abencérages" est le nom d'une famille qui joua un rôle politique important à Grenade. Les Abencérages étaient les rivaux d'une autre famille de la noblesse les "Zenetes". Ces derniers ourdirent un complot impliquant la sultane dans une intrigue amoureuse afin d'exciter la jalousie du Sultan et provoquer la tuerie de trente-six chevaliers abencérages dans cette même salle à l'occasion d'une fête. Cette légende, qui allait inspirer l'oeuvre "Le dernier des Abencérages" de . Chateaubriand, se situe sous les règnes de plusieurs rois.

Mariano Fortuny représenta la tuerie dans ce tableau de 1871, thème que l'iconographie orientaliste du Romantisme exploita recherchant l'effet. Une partie de ce que beaucoup ont vu ou imaginé en visitant l'Alhambra provient de conceptions similaires.

La version populaire affirme que les taches rougeâtres d'oxyde de fer du fond de la fontaine, sont les marques du sang des chevaliers assassinés.

En été cette salle est un refuge idéal: si les portes sont fermées la lumière ne peut pénétrer que par les fenêtres de la coupole étoilée qui laissent également s'échapper l'air comme une cheminée; l'eau de la fontaine, courant souterrain, est toujours fraîche et adoucit considérablement la température ambiante. Le manque de fenêtres à une hauteur normale et les murs très épais transforment cette pièce en une sorte de grotte avec des alcôves pour le repos où, en été, il ne fait pas plus de 22°.

Des lits étaient disposés dans les ***alcôves****, séparées par des colonnes du reste de la salle. Les alcôves avaient presque toujours trois murs et des rideaux les isolaient des cours sur lesquelles elles donnaient.*

Vision romantique d'après un dessin de Chapuy (1840.)

Les ***"alicatados"*** *(plaques de céramiques découpées formant des dessins géométriques) de cette salle furent installés à l'Alcazar de Séville et remplacés au XVIè s..*

La perspective*, assis derrière la fontaine, est une succession de plans brillants. Tout à fait au fond, à travers le mirador de Lindaraja, dans la Salle des Deux Soeurs, apparaissaient la ville ancienne et le ciel. Cette fontaine dodécagonale est le centre de la salle. Quand la vasque est pleine et calme, le magnifique plafond de mocarabes formant une énorme étoile à huit branches s'y reflète. (voir page suivante).*

En sortant de la Salle des Abencérages il y a deux couloirs: celui de gauche conduit au vestibule, entrée originale à l'époque nasride. L'autre est le début d'un escalier qui conduit au premier étage où vivaient certainement les femmes avec leurs jeunes enfants.

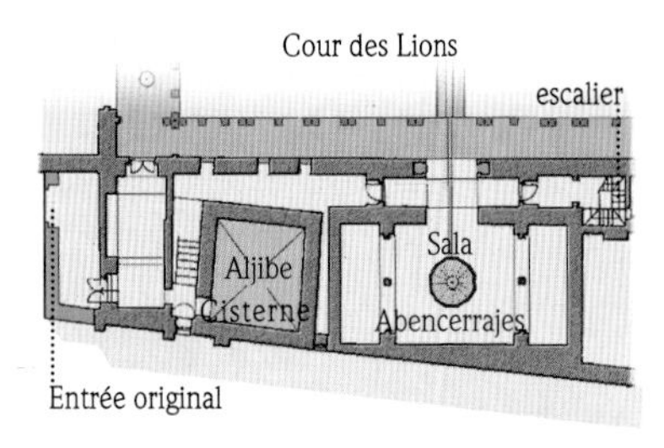

 Cour du Harem

Le centre de cet espace était la Cour du Yannan ou du Harem, construit sur la réserve qui alimentait en eau les bains de Comares. Elle ne peut être visitée en raison de son état de conservation précaire. Il y reste des vestiges de lambris peints et des chapiteaux de marbre noir uniques dans l'Alhambra.

Derrière les jalousies, les femmes pouvaient voir la cour. Elles dirigeaient les affaires quotidiennes du Palais, présentes mais cachées.

Objets domestiques

Il est évident que ces salles n'étaient pas conçues pour être meublées. Dans la culture du désert, le mobilier se compose de: tapis, coussins, secrétaires et nattes pour dormir et quelques tables basses. Un ensemble d'éléments qu'il était facile de ranger pour transformer l'espace en salle-à-manger ou salon. Très peu de tout cela nous est parvenu. Un autre genre d'objets ont été conservés tels que: céramique, objets en fer, en pierre ou en bois, en ivoire ou en os, bijoux, etc. Logiquement, les cuisines se trouvaient en-dehors des palais.

La place de la femme dans la société musulmane

La culture islamique proclame l'égalité entre l'homme et la femme sur les plans moral et religieux, mais l'homme domine au niveau politique et public. Il doit protéger sa femme consacrée à la vie intérieure du foyer, tandis qu'il est tourné vers l'extérieur: le monde et ses entreprises.

L'anthropologue Pierre Guichard a signalé de quelle façon la propre demeure donne des informations sur la structure familiale: tournée vers l'intérieur, centrée sur une cour où donnent les pièces, une salle réservée au maître pour recevoir, des salles aux étages pour les femmes et les enfants. Mais si le maître s'absente, la femme dirige la maison et assure la bonne marche du foyer. Quand le seigneur reçoit des visiteurs, la femme est soustraite aux regards indiscrets. Il existe des différences selon la classe sociale: une domestique peut partager l'espace avec le visiteur, pour le servir, tandis que la femme ou la fille reste cachée. L'explication serait que la descendance dans ces communautés suit toujours la ligne masculine, les femmes ayant une valeur d'échange qu'il convenait de protéger. Tout cela était renforcé par la forte dépendance de l'individu au groupe, avec la crainte de la honte et du rejet social. L'intimité a donc une très grande valeur: murs, portes coudées, hauteur limitée des édifices.

A l'intérieur de la maison, la femme pouvait recevoir les femmes de la famille ou encore des vendeuses, des guérisseuses, des préceptrices...qui la tenaient au courant des affaires du monde. Certains espaces urbains lui sont également permis: la mosquée - dans la zone réservée-, le souk et les bains à certaines heures.

Dans les maisons nobles et les palais il y avait un groupe d'esclaves (yariya), des femmes destinées au plaisir. Instruites, elles nous sont présentées jouant du luth pour le seigneur et ses invités, servant le vin ou récitant des poèmes, tandis que l'épouse reste cachée dans ses appartements. C'était parfois des chrétiennes qui enseignaient le castillan aux enfants. Ces esclaves-concubines devenaient en certaines occasions la seconde ou la troisième épouse et les récits, mélanges d'histoire et de légende, les font souvent intervenir dans les affaires d'état fortes de leur influence sur leur époux.

Brasero en pierre

Trois modèles de jarres, exemples de l'infinie variété de la céramique nasride.

Utensile de cuisine

La Salle des Rois

La Salle des Rois occupe tout le côté Est de la Cour des Lions. Elle est divisée en cinq espaces, trois d'entre eux illuminés par les portiques d'accès depuis la cour et séparés par deux autres dans l'ombre. A partir de l'alcôve Sud, la salle est une succession de lumières et d'ombres disposées entre des espaces limités par de grands arcs brisés en plâtre, dont la décoration diffère beaucoup des uns aux autres. Cette variété décorative et l'alternance de lumières et d'ombres rendent agréable cette décoration si chargée sans provoquer la fatigue que les éléments décoratifs du baroque produisent quand ils se répètent jusqu'à la satiété. On a obtenu ici "la sensation d'harmonie avec des éléments différents", la formule idéale des décorateurs modernes

La loge centrale, de par sa situation privilégiée, était sans doute celle destinée au Sultan et à ses proches. Assis, la perspective de la cour se présente comme une oasis entrevue entre un bois de palmiers avec la fontaine aux lions au centre.

Dans chaque espace clair, il y a des alcôves. Sur les plafonds de chaque alcôve-loge il y existe des peintures sur cuir d'agneau, fixées sur un support en bois au moyen de colle de pâte et de petits clous de bambou. Les peintures de ces plafonds datent de la fin du XIVè s. ou du début du XVès. Beaucoup d'encre a été versée au sujet de l'origine et du symbolisme de ces peintures, même si d'après l'arabiste français Massignon il ne semble pas exister de véritable opposition pour leur attribuer une origine musulmane fortement influencée par des modèles occidentaux.
Seuls les "anzabs" sont interdits, c'est-à-dire les idoles qui peuvent devenir des objets de culte.

Ce système (colle de pâte et de bambou) évitait le dommage que pouvait produire l'oxydation des clous de fer et empêchait également que les peintures se détachent si les clous incrustés dans le bois venaient à tomber sous l'effet de la dilatation produite par la chaleur.

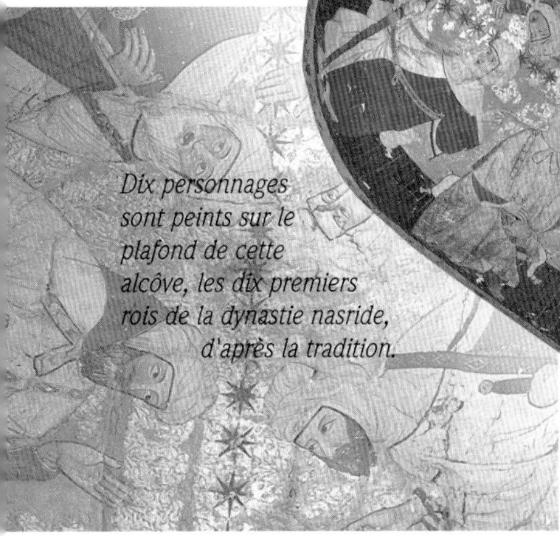

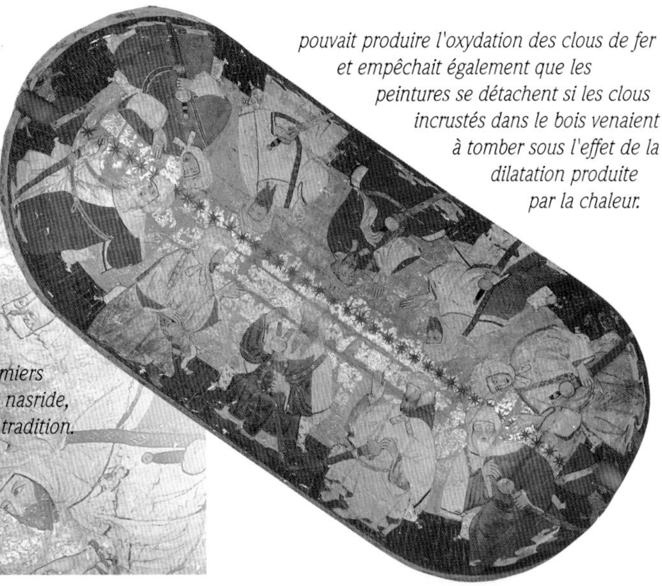

Dix personnages sont peints sur le plafond de cette alcôve, les dix premiers rois de la dynastie nasride, d'après la tradition.

Les peintures des autres loges semblent garder une certaine relation thématique entre elles. Deux personnages, qui de par leurs vêtements et leurs armes semblent être un chrétien et un musulman, réalisent une série de prouesses et actes similaires- pour conquérir l'amour d'une demoiselle chrétienne- et le tout termine dans la loge côté Sud, quand le musulman abat d'un coup de lance son rival chrétien devant le geste suppliant de la dame, qui contemple le tournoi depuis une tour.

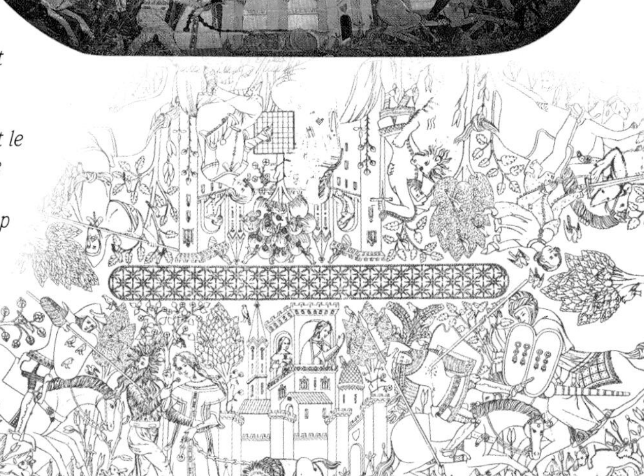

Salle des Deux Soeurs

Contrairement à ce que l'on croyait jusqu'à présent, on sait que cette salle est la plus ancienne de toutes celles qui entourent la cour des Lions.
Son nom obéit à des raisons descriptives: on l'appelle des Deux Soeurs à cause des deux grandes dalles de marbre de Macael situées au centre de la salle.

En entrant dans cette salle depuis la Cour des Lions on voit, comme dans celle des Abencérages, deux étroits passages à droite et à gauche. Le couloir de droite conduit à un escalier qui monte aux appartements et celui de gauche, est l'entrée à un cabinet de toilettes (ci-contre).

Les musulmans utilisèrent les toilettes, avec des tuyaux de décharges par des conduits, bien avant le reste de l'Europe. Les toilettes étaient constituées d'une plaque avec un trou allongé, et il y avait également un lavabo et une aération indépendante.

Un grand arc s'ouvre de chaque côté: celui de l'entrée depuis la cour, un à l'Est et un autre à l'Ouest qui furent des alcôves, et l'arc au Nord servant de transition entre la Salle des Deux Soeurs et la Salle des Encorbellements qui précède le Mirador de Lindaraja. Au-dessus de ces arcs, quatre autres plus petits servent de fenêtres aux appartement de l'étage.

Un lambris d'alicatados décore la salle. Leurs reflets métalliques et leur composition font qu'ils soient considérés comme parmi les plus beaux et les plus originaux de toute l'Alhambra. Ils sont décorés de petits écus de l'Ordre de l'Echarpe autour desquels se développe le labyrhinte de lignes brisées. Le contrepoint se trouve dans les motifs circulaires des jambages des arcs (à droite).

Au-dessus de ce lambris une belle qasida d'Ibn Zamrak en caractères cursifs fait référence à la beauté de la salle, comparée à un jardin, et à celle de la merveilleuse coupole d'entrelacs qui la couvre.

"Je suis le jardin qui orne la beauté, tu me connaîtras si tu admires ma beauté. Je suis supérieure grâce à la générosité de mon Seigneur Muhammad. Oeuvre sublime, la Fortune veut que je dépasse tout monument.
Que de plaisir pour les yeux! Ici, l'âme trouvera un beau rêve. Cinq Pléiades l'accompagneront et le doux souffle de la brise matinale la réveillera.
Elle arbore une coupole brillante aux beautés cachées.
Fatigué, Géminis lui tend la main; la lune vient converser avec elle.
Et les étoiles étincelantes voulaient s'y incruster et cesser de tourner dans la voûte céleste et dans les deux cours attendre soumis, et le servir comme des esclaves:
N'est-ce pas une merveille que les astres errent et dépassent la limite signalée
Disposés à servir mon seigneur, car celui qui sert le glorieux atteint la gloire.
Le portique est si beau, que le palais entre en compétition avec la voûte céleste.
Combien d'arcs s'élèvent dans sa voûte sur des colonnes ornées de lumière,
Comme des sphères célestes qui tournent sur le pilier brillant de l'aurore!
Les colonnes sont si belles que tous en parlent:
Le marbre lance sa claire lumière qui inonde le recoin noirci d'ombre;
Ses reflets brillent et ressemblent à des perles.
Il n'y a jamais eu un Alcazar si magnifique, si clair et si grand.
Il n'y a jamais eu de jardin si fleuri, à la récolte douce et parfumée
Le juge de la beauté permet de payer, double, l'impôt en deux monnaies, si à l'aube la main du zéphyr est remplie de drachmes de lumière, l'après-midi les dinars du soleil ornent le jardin inondant d'or les alentours au travers des branches".

La **coupole d'entrelacs** (double page précédente) est un prodige de composition avec ses 5416 pièces. A droite, un dessin d'Owen Jones (1842)

Ces ouvertures, jusqu'en 1590, projetaient la lumière sur les mocarabes du plan à travers de verres de couleurs. L'effet recherché avec les *muquarnas* (stalactites) et cette disposition de

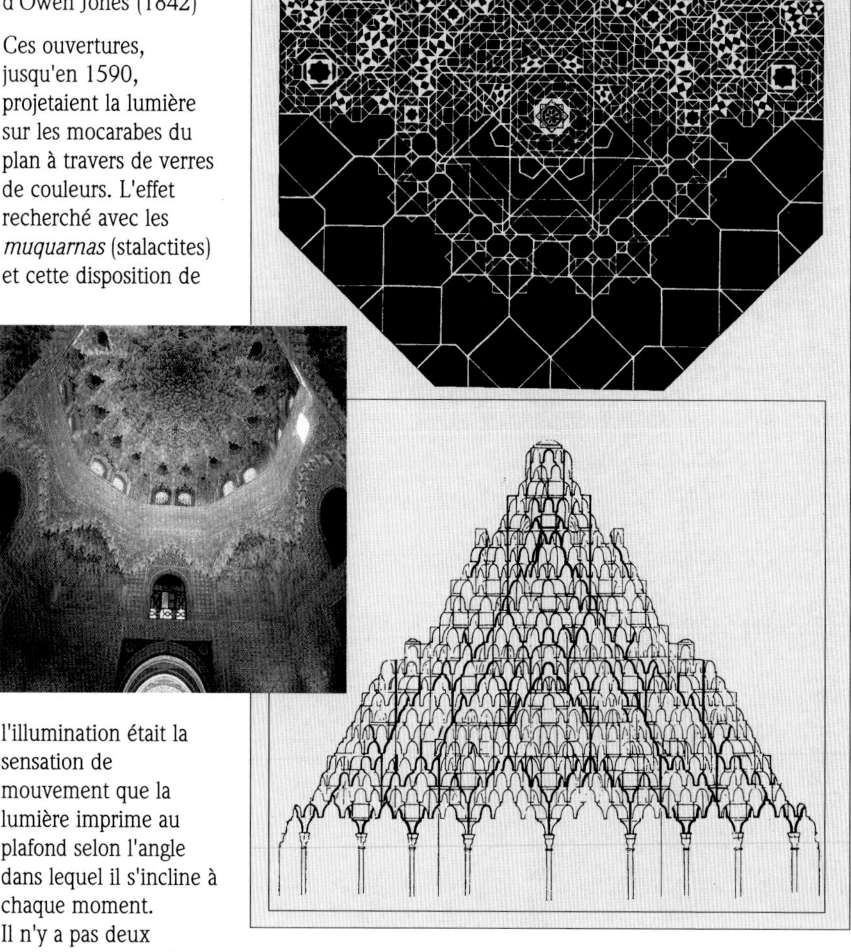

l'illumination était la sensation de mouvement que la lumière imprime au plafond selon l'angle dans lequel il s'incline à chaque moment. Il n'y a pas deux secondes du jour où la coupole a le même aspect, et son éternelle mutation dans l'unité se constitue en métaphore du ciel étoilé autour du Nord

Les relations entre chrétiens et musulmans n'ont pas toujours été tendues. Ils s'alliaient souvent pour intervenir dans des guerres civiles. Un détail révèle l'échange culturel important sous le règne de Muhammad V: la fleur de lis, symbole des Bourbons, ajoutée par Pierre Ier à son blason après son mariage avec Isabelle de Bourbon et qui apparaît ici comme hommage ou symbole d'amitié. Cette amitié attirerait d'ailleurs de graves problèmes au roi de Castille, appelé aussi le Justicier.

Muquarnas *(les plafonds ou voûtes à stalactites)*

D'après la tradition islamique, le prophète Mahommet reçu la révelation du Coran directement de l'Archange Gabriel dans la fameuse grotte Hira où il s'était réfugié de ses ennemis. Une toile d'araignée ferma miraculeusement l'entrée pour désorienter les poursuivants. C'est maintenant un important centre de pèlerinage que les musulmans visitent lors de leur voyage à La Mecque (environ 30 km). Le souvenir de cet épisode à fait naître les stalactites comme motif décoratif indispensable chargé de connotations religieuses dans tout le monde islamique jusqu'à notre époque.

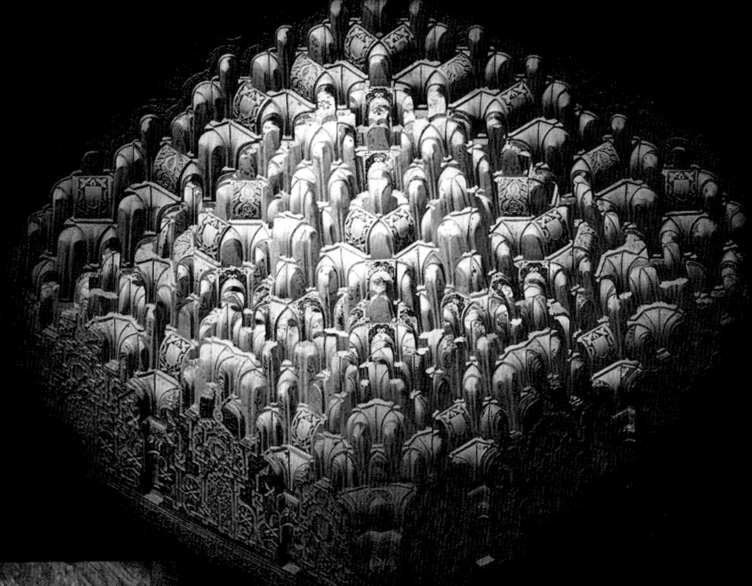

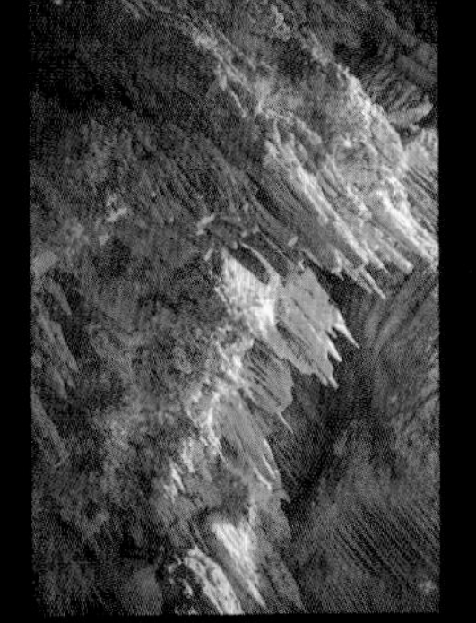

Les Grottes de Nerja (Málaga)

l y a déjà des entrelacs à Nisapur (Iran) au Xè s. et à Qal'a de Beni Hammad (Afrique du Nord) au XIè s. A partir de ce siècle, son utilisation se généralise dans tout l'Islam et atteint de fastueux développements architectoniques dans des villes comme Isphahan. (à droite, la mosquée macsura de cette ville)

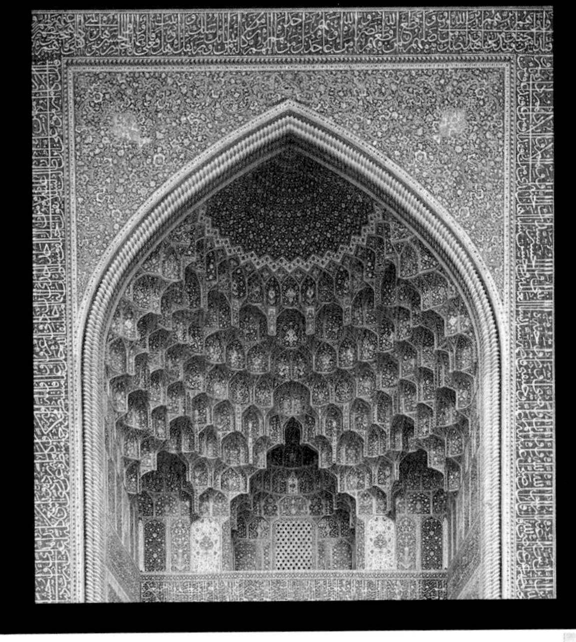

Les entrelacs sont un ensemble d'éléments de plâtre, de section prismatique ou triangulaire, qui peuvent se combiner de multiples façons.

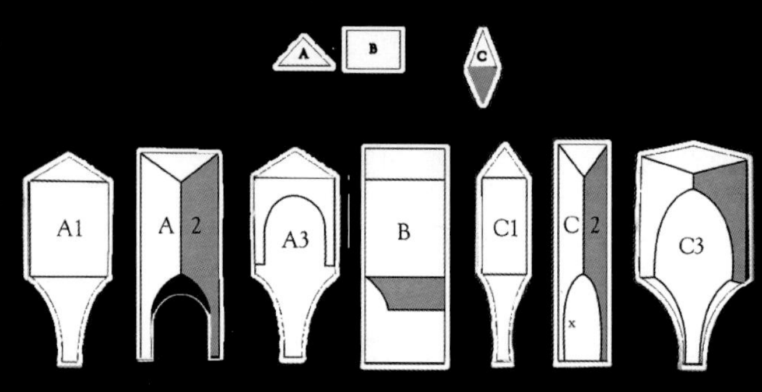

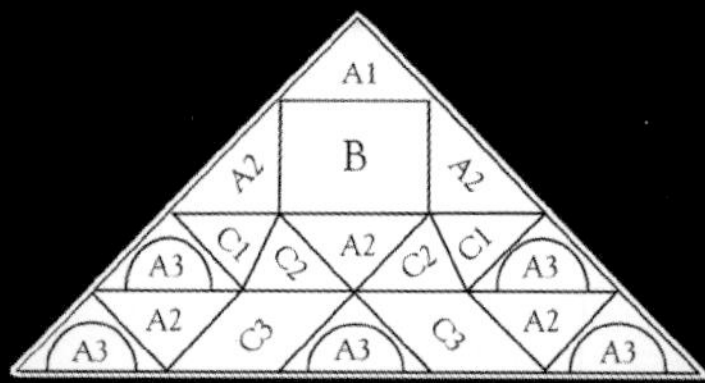

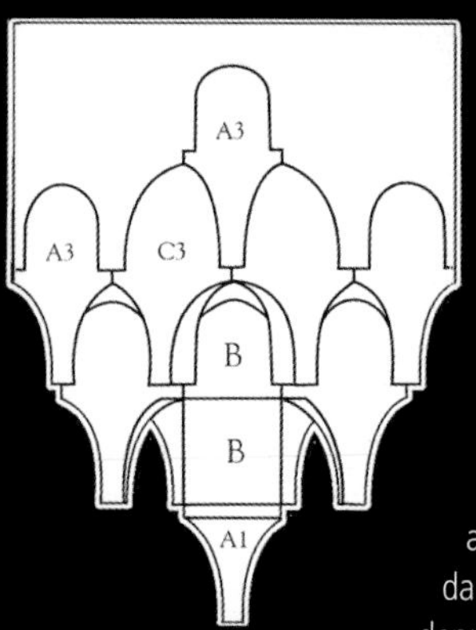

A gauche: trompe de la Salle des Deux Soeurs analysée par Owen et Gury. Bien qu'ils ne servent pas de support, les artisans musulmans ont presque toujours utilisé les entrelacs pour résoudre visuellement le passage d'angle à coupole; l'architecture occidentale se sert du pendentif (à droite).

Dans une perspective cosmologique, la coupole ronde représente le ciel et son mouvement giratoire constan tandis que le cube de la salle, formé par les murs, correspond au monde terrestre dominé par les contrastes. Il y a de l'éthe dans le ciel. Les cellules de muqarnas, qui forment la transactior depuis la coupole non divisée jusqu'au carré des murs, figen d'une certaine façon l'éther liquide en formes terrestres solides. En accentuant ou en prolongeant les arêtes où s'unissent plusieur niches de muqarnas on obtient cette forme, comparable à de stalactites. De plus, les niches ou cellules individuelle peuvent s'assembler de nombreuses façons, avec de formes concaves et convexes. Les artistes de Grenade ont composé des coupoles entières à base de muqarnas, sorte de ruches où le mie est le ciel. Les filets ou grilles sculptées dans les murs des salles produit un effe semblable... Le mur devient transparen comme s'il était fait de cellules remplies de lumière. *(Titus Burckhardt)*

Les plafonds de la Salle des Rois donnent une idée de l'immense diversité des formes obtenues à partir des entrelacs. Un même élément semble changer de forme suivant la lumière qu'il reçoit. Celle-ci devient donc un des composants de base de l'architecture.

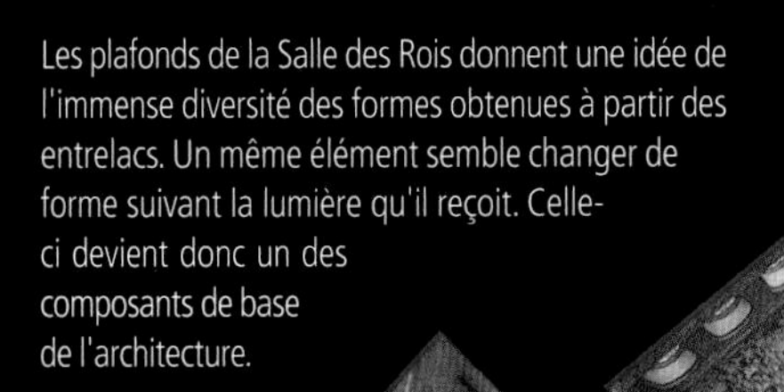

"...avec la lumière tous les matériaux brillent, resplendissent et vibrent. Comme chaque masse de couleurs (dans la décoration) est très réduite l'effet chromatique devient une sorte de fragmentation pointilliste, sans pesanteur, absolument incorporelle....pure vibration lumineuse dans une cape évanescente changeant sans cesse de couleurs et de formes...la lumière qui tombe sur des surfaces aux différents angles crée des contrastes de plans et de textures, rend les formes mobiles. La réalité artistique, tout comme la réalité naturelle, surgit à chaque moment formée par une multitude de petites myriades d'atomes". *(Prof.Borrás)*

Plafond de l'angle Nord.Ouest de la Cour des Lions: quelques restes de polychromie

 Le Mirador de Lindaraja

"Tous les arts m'ont enrichi de leur beauté spéciale et doté de leur splendeur et perfection. Juge à ma place de la beauté de l'épouse qui demande des faveurs à ce verre. Quand il me regarde, il contemple attentivement ma beauté mais l'apparence le trompe. Car, il croit que la lune a abandonné ses demeures pour se fixer ici. Je ne suis pas seule car je contemple un jardin magnifique; personne n'en a vu de semblable. C'est le palais de cristal; cependant certains en le voyant l'ont considéré comme un océan orageux.
Ici le souffle de l'air est frais; l'atmosphère est saine et le zéphyre agréable. J'ai réussi à réunir toutes les beautés pour que les astres du haut firmament y prennent leur lumière. Dans ce jardin, je suis un oeil plein de joie et sa pupille est, en vérité, mon seigneur".

Poème inscrite dan les mures du Mirador.

Le nom semble venir de la corruption phonétique de trois mots: ain-dar-Aixa (les yeux de la Maison d'Aixa). Quand n'existait pas la galerie chrétienne qui ferme le jardin, on pouvait voir d'ici la ville au-dessus de la muraille et, tournés vers la Cour des Lions et assis sur le sol, le ciel à travers la fenêtre au-dessus de l'arc d'entrée de la salle des Deux Soeurs, et horizontalement, le jet d'eau de cette même salle.

Vue du jardin depuis le rez-de-chaussée

Couronnant le mirador, un vitrail de couleur, enchâssé dans une fine armature de bois, laissait pénétrer une lumière polychromée dans cette petite enceinte.

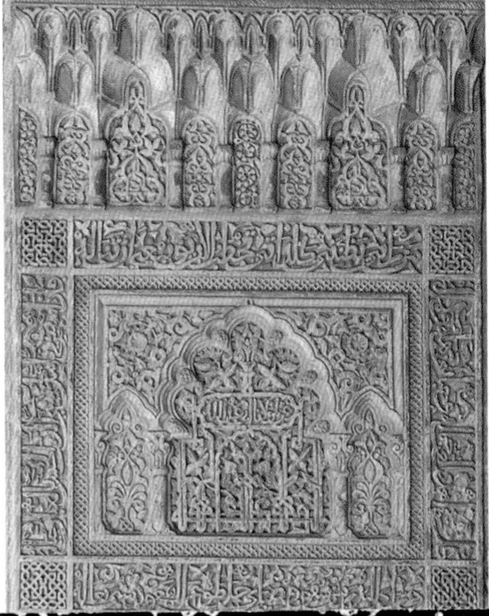

De minuscules azulejos composent les lambris. Sur celui des jambages de l'arc il y a de splendides inscriptions, en céramique noire inscrustées sur fond blanc, qui font allusion à Muhammad V; ce sont sans doute les plus travaillées et les plus fines du palais, un chef-d'oeuvre de l'art musulman.

Dans sa partie centrale, cette merveille n'a que trois pièces noires qui occupent un espace taillé au millimètre dans le fond blanc.

 Cour de la Grille et Cour de Lindaraja.

Ces deux cours datent de la réforme en 1526 pour adapter l'Alhambra à la visite de l'Empereur Charles V lors de son voyages de noces. Les nouveaux appartements, aux très beaux plafonds à caissons, furent à peine utilisés. Un tremblement de terre, fréquent à Grenade, effraya l'Impératrice qui préféra s'installer dans un couvent hiéronymite. Washington Irving écrivit dans ce cadre l'une des premières et plus importantes oeuvres de la littérature américaine en 1828: ***les Contes de l'Alhambra.***

Cour de la Grille. A l'étage la grille qui donne le nom à la cour. A gauche la galerie de l'époque chrétienne ouverte sur l'Albaicin.

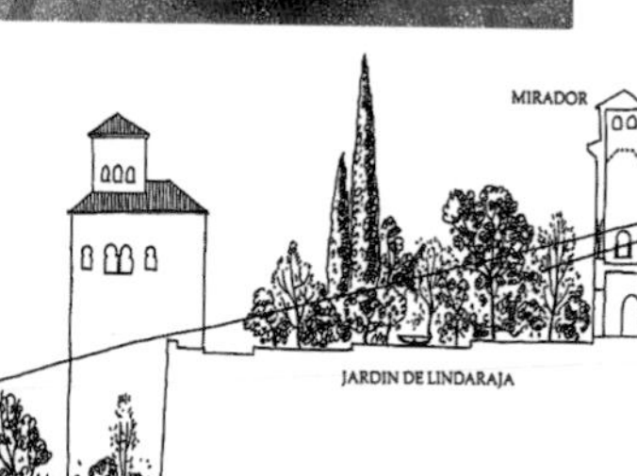

Ce dessin de Francisco Prieto Moreno montre comment, avant les constructions chrétiennes, les vues panoramiques "pénétraient" dans les appartements du Harem.

Cour de Lindaraja. La magnifique fontaine, copie de l'originale, se trouvait dans la Cour du Mexuar.

Baño

LES BAINS

Les bains du Palais de Comares avaient une fonction très spécifique directement en rapport avec la politique et la diplomatie. La porte, première à gauche dans le mur Est du Patio de los Arrayanes, près du Salon de los Embajadores, nous indique sa fonction: être un lieu confortable pour y traiter amicalement les affaires officielles. C'est pour cette raison que les bains n'étaient ouverts que lorsqu'il était nécessaire de gagner l'amitié et les faveurs de diplomates et politiques d'autres royaumes.

Galerie des musiciens

Cette porte s'ouvre sur la "galerie des musiciens". L'imagination populaire y situait des musiciens - aveugles- qui rendaient agréable le bain sans souiller par des regards luxurieux les scènes érotiques qui s'y déroulaient. D'autre part, il faut souligner que le bain avait un certain sens religieux de purification et que la présence de personnes de sexes différents en même temps n'y était pas autorisée.

Dépendances du gardien des bains.

Personne d'une entière confiance et fidèle, il surveillait très discrètement, par une jalousie, les mouvements des invités de son maître. Au besoin, il pouvait demander de l'aide au poste de garde.

Salle d'aisance

Salle des lits

Ou de repos. C'est l'endroit où les personnes se déshabillaient avant le bain et où elles revenaient après pour se reposer et résoudre amicalement les problèmes politiques ou diplomatiques qui auparavant avaient été traités de façon officielle et protocolaires dans le Salon de los Embajadores.

Salle froide

C'est une sorte de vestibule qui dû servir de salle de massage et d'acclimatation avant ou après le bain. Il y a une petite vasque pour les ablutions (à droite). Le sens religieux du bain justifiait ce rituel, qui n'est pas toujours obligatoire. La céramique morisque sur la paroi de la vasque représente de façon abstraite le reflet de l'eau.

Salle tiède

L'eau circulait entraînée par la légère pente, tandis que la chaleur passait par des canaux sous le sol du four jusqu'à des cheminées encastrées dans les murs. Au contact du marbre chauffé en sous-sol l'eau produisait une grande quantité de vapeur qui adoucissait la peau et ouvrait les pores. Les corps étaient ainsi prêts pour être lavés. Assis ou couchés sur des estrades en bois derrière les colonnes, ils étaient frottés par les employés qui étaient restés jusqu'alors dans une autre salle. Ces employés avaient une certaine importance sociale, inférieure cependant à celle de l'"échanson", sorte d'éphèbe chargé de servir les boissons. Pour se déplacer, il fallait utiliser des sandales avec d'épaisses semelles en bois (à droite)

Le "Bain du Roi" avait deux sorties d'eau -froide et chaude- d'après la lecture du poème qui encadre la niche en marbre. Les robinets étaient deux têtes de lion en or massif. Il a été transformé en baignoire pour l'Empereur Charles V.

Chaudières

Il y en avait trois, d'après un plan de Murphy en 1812, vendues au XVIIIè s.

Four

En brique et chauffées au bois, elles sont reliées par des canaux aux salles chaude et tiède.

Salle chaude

Le sous-sol est traversé de nombreux petits canaux entrecroisés qui recevaient la chaleur du four de façon presque directe. La chaleur devait y être très élevée.

Ce dépôt est adossé au four donc l'eau, fournie par la chaudière, devait être plus chaude que celle de l'autre. Cette eau était versée sur le sol pour créer la vapeur.

Il y a de petites lucarnes dans les coupoles des salles des colonnes et des dépôts. Leur ouverture était contrôlée de l'extérieur (il y a un escalier au-dessus des coupoles) pour régler la température des deux salles. Les vitres de ces lucarnes devaient être rouges pour donner une lumière intense qui, avec la décoration ocre rouge que l'on distingue encore sur les murs intérieurs, contribuaient psychologiquement à produire la sensation de chaleur.

La construction de ces salles, solides et faites pour supporter des températures élevées, contraste avec la fragilité apparente de la Salle des Lits, où tout est fait de plâtre et de bois.

Salle des lits

Rafael Contreras a dirigé sa reconstruction entre 1848 et 1866. Reconstruction polémique mais il est vrai qu'il trouva la salle dans un état déplorable. Il a conservé ce qui lui semblait en meilleur état: les colonnes, la vasque et les céramiques du XVIè s., supprimant les initiales "PV" pour les remplacer par une série de petits créneaux en blanc et noir de qualité médiocre.

Contreras a commis deux grandes erreurs. La première: remplacer le rouge-ocre de la polychromie d'origine par le carmin, inconnu en Europe avant la découverte de l'Amérique, et la seconde placer les inscriptions - certainement copiées de vestiges- de façon arbitraire et en mélangeant les strophes, car il ne savait pas l'arabe. Aujourd'hui, il est donc impossible de savoir si les inscriptions sont authentiques et par là même de connaître le constructeur des bains: Ismaïl, Yusuf Ier ou Muhammad V.

Les Arabes copièrent la forme des bains des thermes romains d'où la division caractéristique en frigidarium (salle froide), tepidarium (salle tiède) et caldarium (salle chaude), tout en l'adaptant à leurs idiosyncrasie et styles décoratifs.

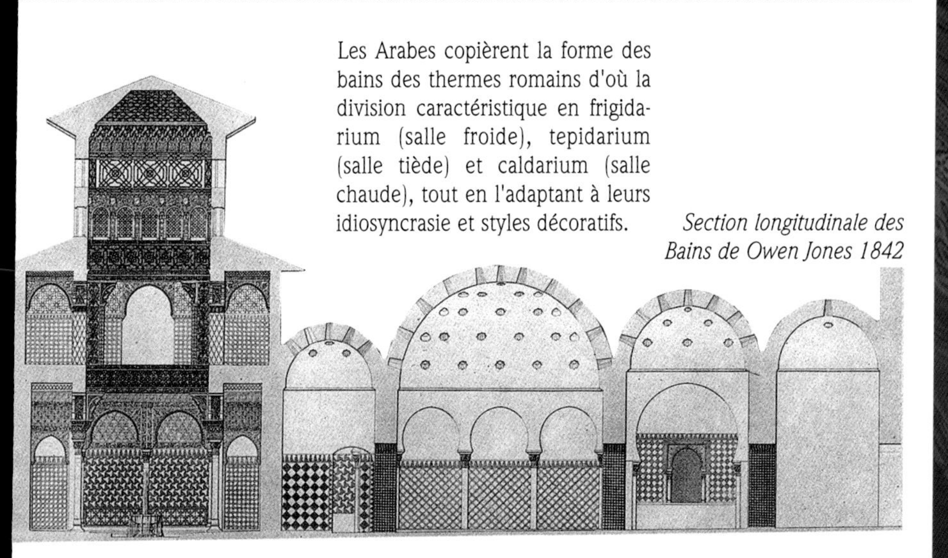

Section longitudinale des Bains de Owen Jones 1842

Les **bûches** *pour le four des bains étaient transportées depuis le bois par le Callejón de Leñadores qui est aujourd'hui la galerie Ouest du Patio de Lindaraja. La Sala de los Secretos n'était qu'un simple entrepôt à bois.*

L'Alhambra, une ville aristocratique d'environ 1500-2000 habitants, devait disposer d'une dizaine de bains pour les seigneurs et leur famille, les soldats et les artisans de la couronne. Deux ou trois étaient des bains publics.

1 2 3 4 5 6 7 8

1.- Bains de la Alcazaba
2.- Bains de Comares
3.- Bains du palais de Yusuf III
4.- Bains du Polinario
5.- Bains du palais des Abencérages
6.- Bains près du palais des Abencérages
7.- Bains du Parador
8.- Bains dans le Secano

En plus des ablutions rituelles obligatoires, le bain est un élément important dans la vie du musulman: il est normal de se laver avant et après les repas, lorsqu'on a touché un objet sale, après une sécrétion corporelle, avant de prendre le Coran, etc. Dans l'histoire de l'Islam, après la mosquée, le bain public est un axe de la vie sociale et il influe sur l'urbanisme médiéval, équivalent de la place en Occident ou dans l'Agora classique.

Partal

Lewis, 1835

Le portique ouvert de la Tour des Dames qui préside la petite esplanade avec un bassin est en arabe "Partal". Par extension, c'est aujourd'hui le nom de la zone proche de la Cour des Lions formée par de petites terrasses échelonnées, sorte de jardins suspendus adaptés à l'orographie du terrain. Le Partal comprend, en plus de la Tour des Dames, les petites maisons adjacentes, la petite mosquée et des ruines de maisons, palais, rues, escaliers et réserves d'eau. Cela a été une zone de jardins avec de belles demeures et de splendides palais.

Tour des Dames

La Tour des Dames est un grand mirador ouvert d'où il y a une très belle vue sur le quartier de l'Albaicin, les jardins du Generalife et les jardins intérieurs qui bordent le bassin dans lequel elle se reflète.

Trois maisons arabes du XIVè s. (règne de Yusuf Ier) ont survécu jusqu'à nos jours; l'une d'elles conserve d'intéressantes peintures très détériorées.

Jardins

Torres Balbás restaura et recréa ces jardins du Partal de façon magistrale.

Sortie du Partal vers le Palais de Charles V. C'est une des deux sorties possibles à la fin de la visite des Palais Nasrides: vers l'Alcazaba et la Rue Real ou pour descendre vers la ville.

Tour de la Falsa Rauda

Promenade de la muraille

La ville aristocratique est fermée, au Nord, par la muraille dont les tours servaient surtout pour séparer la médina du reste de la population de Grenade.

Le chemin de ronde longeait toute l'enceinte en passant sous les tours et les palais et apparaît ici comme une promenade d'où il est possible de surveiller la muraille. A côté, un autre couloir plus profond qui permettait les rondes à cheval.

Jardins des Tours

Maintenant, les jardins qui longent les Tours permettent une délicieuse promenade entre le Partal et le Generalife, du Nord vers l'Est.

Palais de Yusuf III

Palais de Yusuf III. C'est un des sept palais qu'il y eut dans l'enceinte; il n'en reste que quelques ruines qui ne permettent pas de deviner son aspect original.

Tour des Dames

Avec l'étang c'est le seul élément conservé des constructions de Muhammad III (1302-1309) dans cette zone - antérieur donc au reste des Palais-.

Peinture à l'huile de D.Roberts (1838) Montre l'aspect du palais réutilisé comme demeure..

Très détériorée au XIXè s. elle fut restaurée par Torres Balbás avec des piliers carrés (à droite). F.Prieto Moreno les remplaça par les colonnes actuelles.

Vue depuis l'intérieur du mirador vers l'Albaicin.

Sa structure répond à l'idée d'espace à la fois isolé et ouvert à tous les vents: l'intimité enveloppée dans des paysages plus que dans des murs, où ce qui est contemplé compte autant que l'endroit d'où l'on regarde. Les jalousies, aujourd'hui disparues, isolaient et protégeaient jusqu'au niveau du sol.

L'optique occidentale tend à visualiser à l'horizontale et par séquences tandis que l'orientale, admire, depuis tous les angles, l'ensemble et dans toutes les directions.

Le chapiteau de la Tour *possédait un des plus beaux plafonds à caissons nasrides; vendu au XIXè s., il se trouve aujourd'hui exposé à l' Islamisches Museum de Berlin. Ci-dessus le plafond de la salle à arcades.*

L'Oratoire

Il date certainement de l'époque de Yusuf Ier, c'est-à-dire, du début du XIVè s. de par sa ressemblance avec les constructions de cette époque. C'est une petite mosquée avec des fenêtres latérales, ce qui surprend car le paysage distrait de la prière.

L'oratoire, à droite sur la photo

Ci-dessus, l'intérieur. Dessous, fenêtre de la Mosquée.

Elle a perdu la plus grande partie de sa décoration extérieure mais à l' intérieur on peut encore apprécier la finesse de son tracé et des ornements, parmi lesquels le plafond, et la délicatesse du ***Mihrab*** *avec un arc outrepassé surhaussé. Il y avait un lambris de céramique, supprimé récemment.*

Jardins du Partal

Tour de la Falsa Rauda.

C'est la grande tour de brique adossée au sud de la Cour des Lions. On pensait que le cimetière (rauda) des rois nasrides s'y trouvait., d'où son nom. Aujourd'hui, on sait que les tombes royales, dont plusieurs stèles sont exposées au musée, étaient plus au Sud. Jusqu'à la fin du siècle dernier, on a cru que tous les restes avaient été transportés par le dernier sultan mais, en 1999, des ossements ont été découverts. Muley-Hassan, père de Boabdil, fut enterré au sommet le plus élevé de la Sierra Nevada, d'où le nom ***"Mulhacen"***.

Ce bassin avec des nénuphars couronne l'escalier du Partal et de là partent plusieurs chemins.

Les pots, aujourd'hui disparus, représentaient une partie importante du mobilier renouvelable et vivant de l'ensemble.

Palais de Yusuf III

Ce fut le siège des gouverneurs de l'Alhambra jusqu'en 1718, année de sa démolition. Construit par Yusuf III (1408-1417) à une époque où les Nasrides étaient encore à leur apogée, il reprend le schéma de cour centrale avec bassin flanquée de pavillons latéraux.

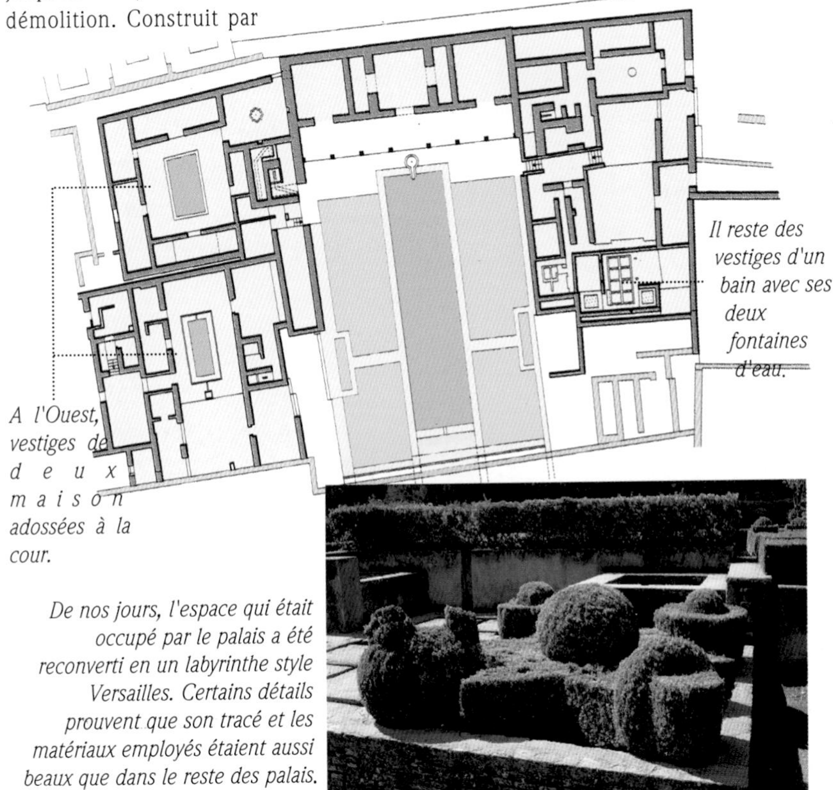

Il reste des vestiges d'un bain avec ses deux fontaines d'eau.

A l'Ouest, vestiges de deux maison adossées à la cour.

De nos jours, l'espace qui était occupé par le palais a été reconverti en un labyrinthe style Versailles. Certains détails prouvent que son tracé et les matériaux employés étaient aussi beaux que dans le reste des palais.

Promenade de la Muraille

Le Partal se prolonge en une promenade le long de la ligne de murailles du côté Nord, jusqu'à l'accès actuel au Generalife depuis l'Alhambra.

Tout le long de la promenade défilent la Tour des Picos (à droite), celle des Infantes et celle de la Captive (voir chapitre suivant: Tours). Au fond le Generalife et le Château de Sainte Hélène.

Ormes, peupliers et cyprès presqu'aussi hauts que la tour de l'Eglise Sainte Marie de l'Alhambra, construite par les chrétiens sur l'emplacement de la mosquée.

Torres
LES TOURS

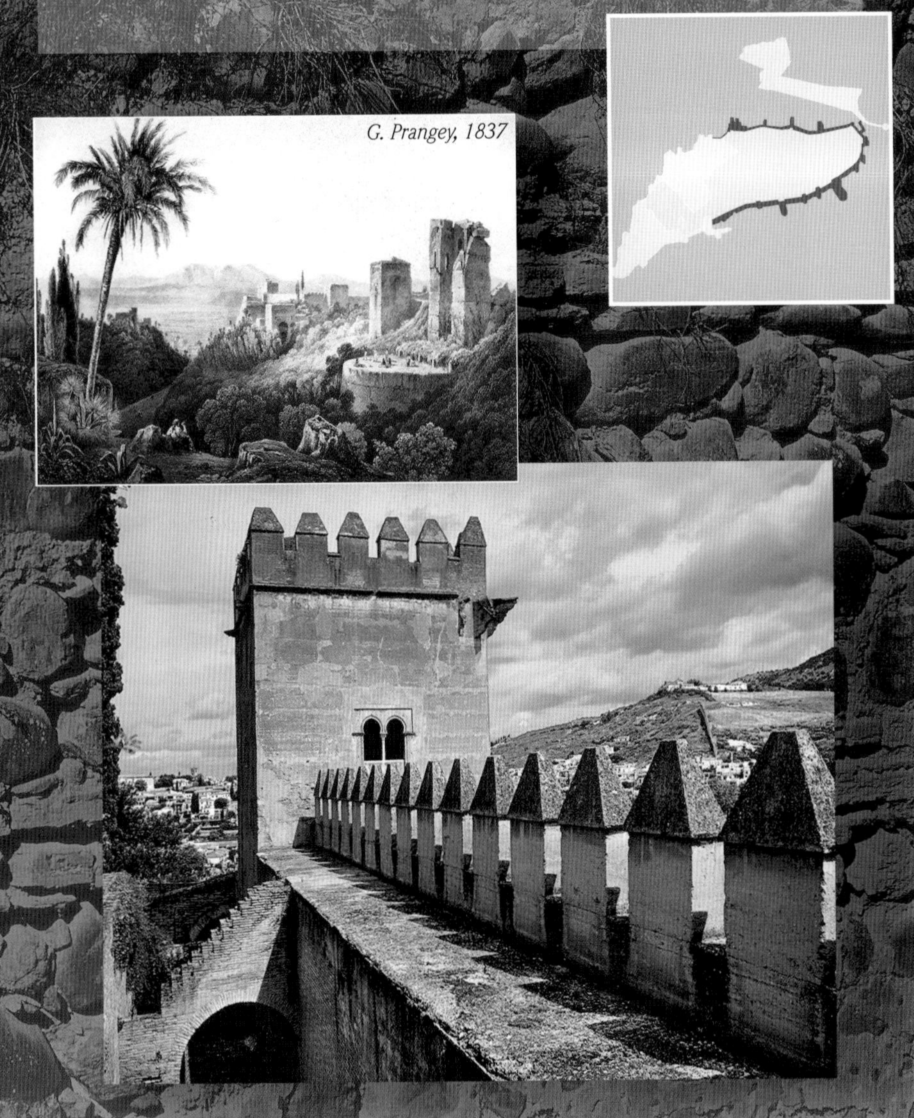

A l'origine plus de 30 tours encerclaient la colline de la Sabica. Il n'en reste que 22. Les murailles extérieures furent construites avant les palais, au début du XIIIè siècle, à des fins défensives. Cependant, d'après les spécialistes, ces tours perdirent leur signification militaire au XIVè s. et furent transformées en palais habitables qui constituaient une sorte de frontière entre deux mondes: la ville et l'Alhambra. De belles allées les longeaient d'où il y avait une vue magnifique sur les jardins du Généralife, le quartier de l'Albaicín et la Sierra Nevada.

Torre de los Picos

Elle est facilement reconnaissable grâce à ses créneaux qui ressemblent à des saillies (picos), d'où son nom et aux consoles. Gra ure de Laborde, 1812.

Puerta del Arrabal

Entrée Nord de l'enceinte par où les sultans se rendaient au Généralife.

Torre de las Gallinas

Elle se situe près de l'Alcazaba qu'elle reliait avec la muraille Nord et le ravin que surplombent les palais. Elle domine la petite place, croisée de chemins, qui devait être un souk dont il ne reste que peu de vestiges.

Porte de la Justice

Construite en 1348 par Yusuf Ier, elle este restée un des accès principaux à l'enceinte de l'Alhambra. Chef d'oeuvre du génie militaire, sa solidité et sa grandeur sévère contrastent avec la fragilité de la Maison Royale. (Gravure de Laborde, 1812)

Puerta de Los Carros

C'est une porte oblique percée dans la muraille d'origine pour permettre le passage des chariotes (carros) qui transportaient le matériel pour la construction du Palais de Charles V au XVIè s.

Torre du Cadí

Torre de La Cautiva

(Tour de la Captive)Cette tour et celle de las Infantas sont deux petits palais, sortes de forteresses, posées sur le chemin de ronde.

Torre de Las Infantas

Torre del Cabo de la Carrera

Torre del Agua

(Tour de l'eau)
En plus de sa fonction défensive, cette tour avait un rôle très important: protéger la acequia (canal) real qui approvisionne en eau toute la Médina. Les Arabes ne construisaient des aqueducs que pour des raisons stratégiques.

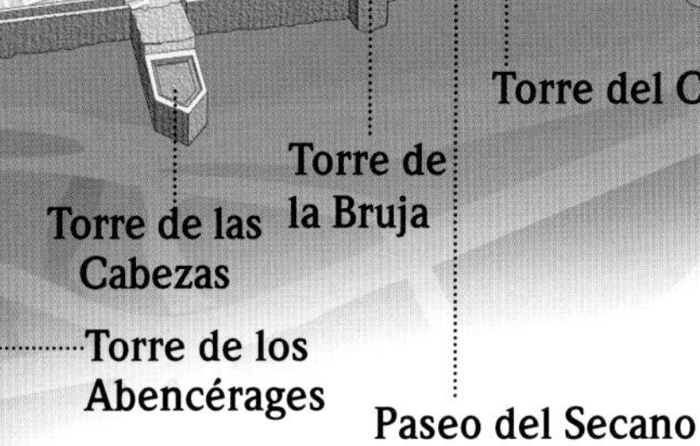

Torre de Juan de Arce

Torre de Baltasar de la Cruz

Torre y Puerta de Siete Suelos

C'est la tour qui a le plus souffert lors de la retraite des troupes de Napoléon qui la dynamitèrent en 1812. Elle a été entièrement restaurée. Boabdil, d'après la tradition, aurait franchi cette porte pour abandonner définitivement l'Alhambra et ordonné qu'elle reste fermée à jamais.
Gravure de Bucknall Escourt,1827.

Torre del Capitán

Torre de la Bruja

Torre de las Cabezas

Torre de los Abencérages

Paseo del Secano

Une allée de cyprès entre la place devant le Parador et l'accès au Généralife. Elle permet d'avoir une vue sur l'ensemble des tours du côté Sud.

Puerta del Arrabal y Torre de los Picos

Cet ensemble avait un caractère clairement militaire. A l'origine, il n'y avait que la porte, avec son arc outrepassé, et la Torre de los Picos. Le rempart extérieur date du XVè s., avec une cour sur laquelle donnaient les écuries. Cette seconde enceinte limitait l'accès à la porte par une partie coudée protégée par la Torre de los Picos.

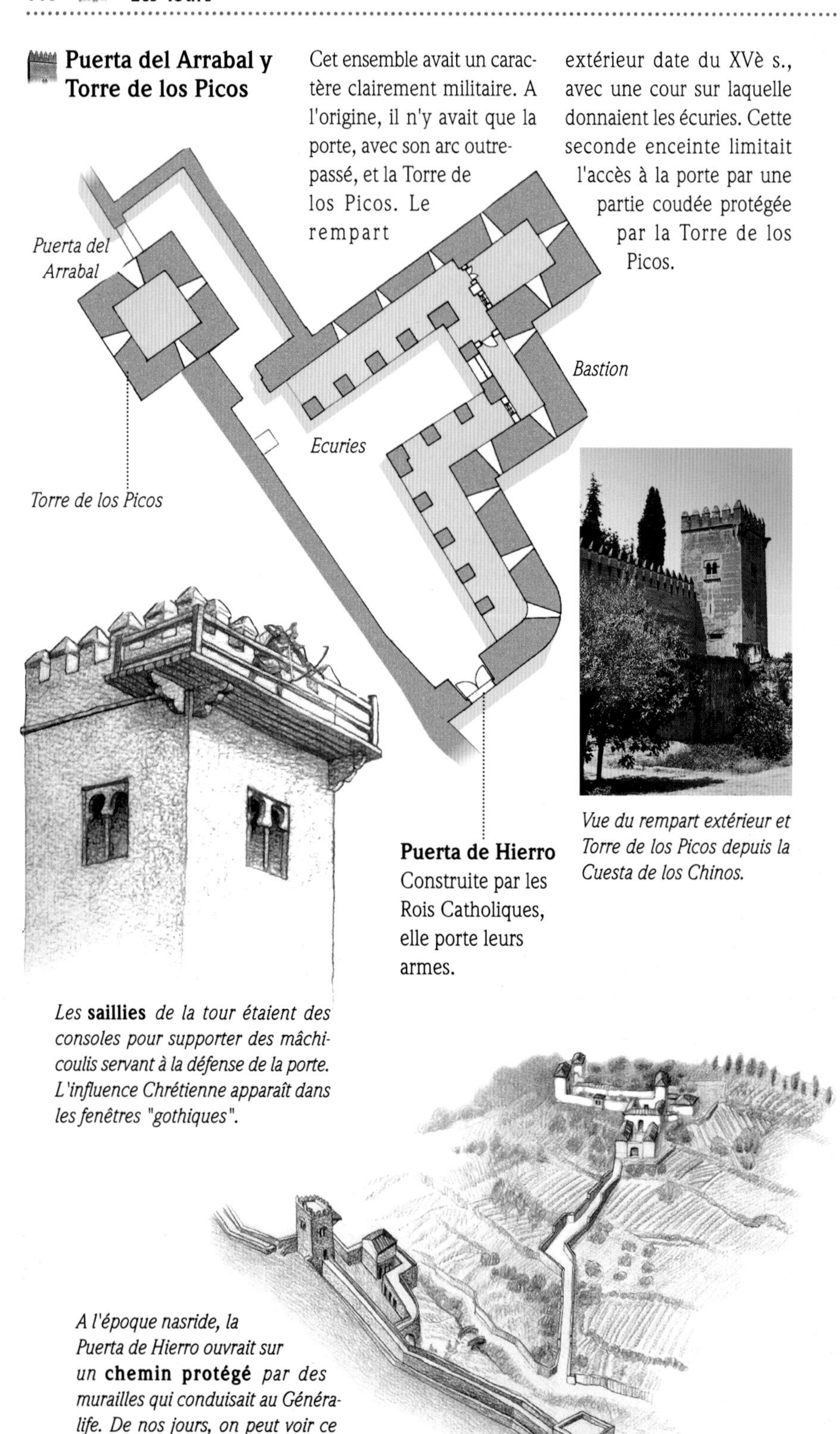

Puerta de Hierro Construite par les Rois Catholiques, elle porte leurs armes.

Vue du rempart extérieur et Torre de los Picos depuis la Cuesta de los Chinos.

Les **saillies** *de la tour étaient des consoles pour supporter des mâchicoulis servant à la défense de la porte. L'influence Chrétienne apparaît dans les fenêtres "gothiques".*

A l'époque nasride, la Puerta de Hierro ouvrait sur un **chemin protégé** *par des murailles qui conduisait au Généralife. De nos jours, on peut voir ce chemin depuis la Cuesta de los Chinos.*

Torre de la Cautiva

(Tour de la Captive). Les noms de Captive et Infantes ont été donnés au XVIIè et XVIIIè s. à partir de légendes.

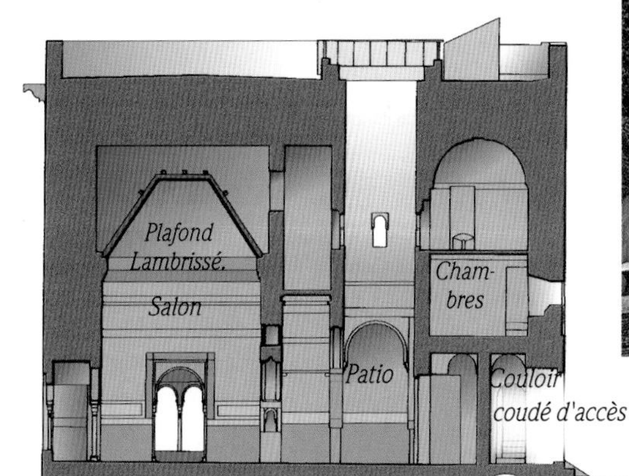

Le chemin de ronde, *ci-dessous, est un passage étroit et voûté.*

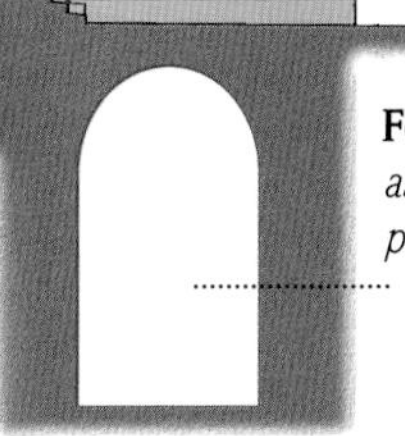

Fossé intérieur *assez large pour passer à cheval*

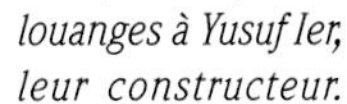

A gauche, vue du Salon et du Mirador Nord depuis la cour. Les **stucs, lambris, alicatados** *de la tour ont une très belle ligne; ils ressemblent à la décoration du Salon des Ambassadeurs de la même époque. Les inscriptions reprennent des citations du Coran et des louanges à Yusuf Ier, leur constructeur.*

Cette **mosaïque** *de la Torre de la Cautiva , la seule avec du pourpre, est une des plus belles de l'Alhambra. Le verre rouge était connu depuis très longtemps mais ce n'était pas le cas de la céramique magenta-pourpre cuite dans la moufle à de très hautes températures.*

Torre de las infantas

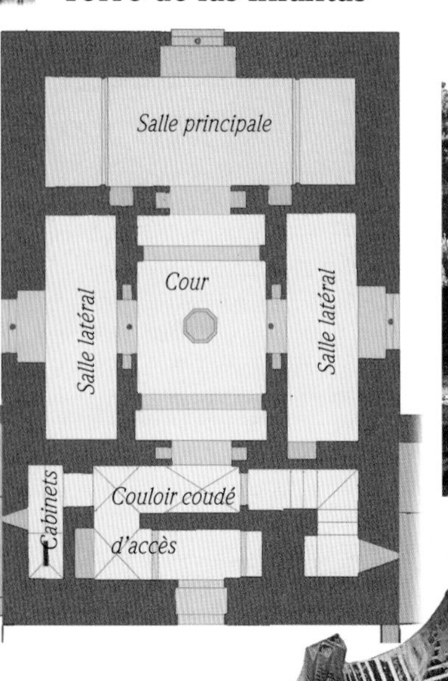

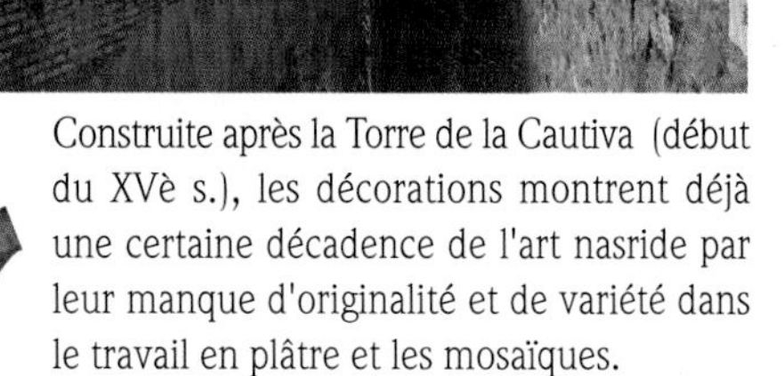

Construite après la Torre de la Cautiva (début du XVè s.), les décorations montrent déjà une certaine décadence de l'art nasride par leur manque d'originalité et de variété dans le travail en plâtre et les mosaïques.

Le passage de l'entrée présente cependant une surprise: une voûte d'arêtes avec de grands entrelacs qui rappellent plus les steppes asiatiques ou égyptiennes que les nasrides. Chaque élément se compose de trois polyèdres encastrés entre eux.

On débouche, après le triple coude de l'entrée, sur une petite cour carrée couverte par une lanterne octogonale qui remplaça au XIXè siècle, une voûte d'entrelacs détruite par un tremblement de terre. Le charme singulier de cet espace séduisit de nombreux illustrateurs romantiques, comme J.F. Lewis (ci-dessous, dessin de 1835).

Generalife

Laborde, 1812.

C'est le seul jardin du Cerro del Sol *(Colline du Soleil)* qui a été conservé. C'était une propriété où le roi de Grenade allait se reposer loin des préoccupations de la cour. Etre aussi proche de l'Alhambra présentait l'avantage de suivre de près l'activité politique et les affaires urgentes mais, cela n'empêchait pas l'isolement qui permet le contact intime avec la nature.

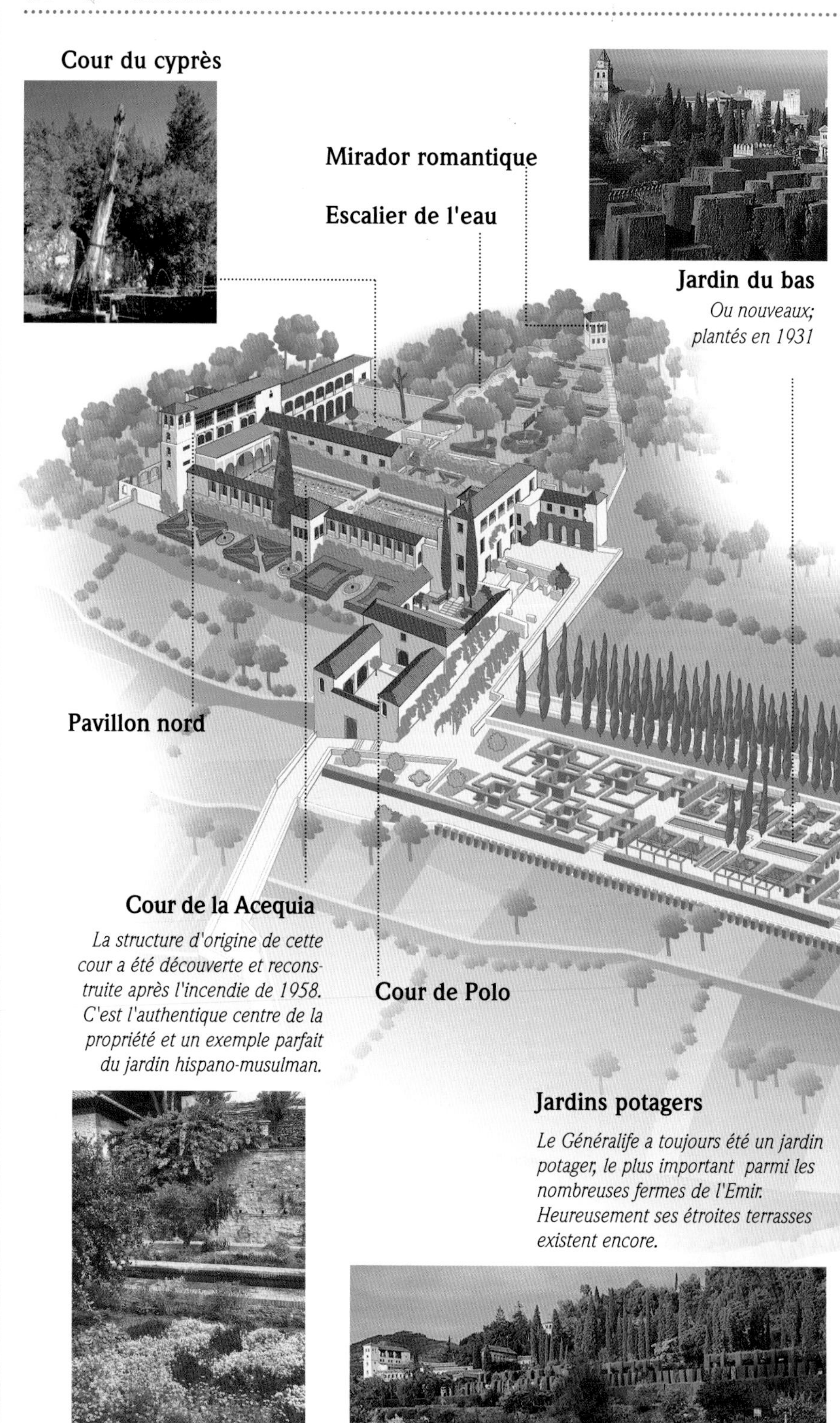
Cour du cyprès
Mirador romantique
Escalier de l'eau
Jardin du bas
Ou nouveaux; plantés en 1931
Pavillon nord
Cour de la Acequia
La structure d'origine de cette cour a été découverte et reconstruite après l'incendie de 1958. C'est l'authentique centre de la propriété et un exemple parfait du jardin hispano-musulman.
Cour de Polo
Jardins potagers
Le Généralife a toujours été un jardin potager, le plus important parmi les nombreuses fermes de l'Emir. Heureusement ses étroites terrasses existent encore.

Pour la plupart des auteurs, "Généralife" vient de deux mots arabes: djennat / jardin, potager, paradis..., et al-arif / architecte, constructeur. La traduction la plus acceptée est donc "le Jardin de l'Architecte" mais certains, se basant sur des textes arabes et chrétiens de l'époque, lui donnent le sens de "potager principal" ou " le plus noble de tous les potagers".

Chemin des cyprès

Le cyprès, arbre de cimetière par excellence depuis l'époque romantique car ses racines verticales n'abîment pas les tombes, était très apprécié des musulmans pour la même raison: c'est un conifère qui va chercher l'humidité en profondeur. C'est pour cette raison que les cyprès peuvent être plantés à peu d'intervalle pour former un mur de végétation toujours vert.

Auditorium

Cet amphithéâtre a été construit en 1952 sur les vestiges d'anciennes dépendances agricoles. Il sert de cadre exceptionnel lors de représentations durant les Festivals de Musique et de Danse de Grenade. Margot Fonteyn, parmi d'autres très grands artistes, y a dansé.

Albercones

Accès à l'Alhambra

Ce pont a été construit récemment pour accéder plus facilement à la Médina et à la ville aristocratique depuis le Généralife. Avant il n'existait que l'aqueduc adjacent, protégé par la Tour de l'Eau.

Entrée

Tickets- **Billets**

Les jardins du bas

Il ne reste que les terrasses des jardins d'origine. Elles s'échelonnaient depuis le sommet de la colline jusqu'en bas comme un tapis composé de bandes de différentes couleurs suivant les fleurs et les arbres fruitiers plantés sur chacune d'elles.

Les jardins actuels ont été plantés entre 1931 et 1951 par Francisco Prieto Moreno. Ils ne ressemblent en rien à ceux du Moyen Age mais ils représentent tout de même la mise en valeur d'une zone qui était alors à l'abandon.

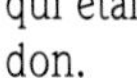

Les haies sont faites à partir de cyprès, de myrtes et de buis; les dais de verdure, de rosiers grimpants, de vigne vierge et de lauriers. Plus de 160 espèces d'arbres et de fleurs ont été utilisées pour composer ces jardins: orangers, pruniers, néfliers, magnolias...

Pour les **chemins**, *on a utilisé l'empierrement traditionnel de Grenade, sorte de mosaïque à partir de petits cailloux -blancs de la rivière Darro, noirs de la rivière Genil- qui est encore employé de nos jours.*

Les ***bassins du centre*** *(à droite) rappellent la disposition en croix typique des jardins musulmans.*

La fonction du Généralife, retrouvée grâce à ces nouveaux jardins, était celle d'un "carmen": résidence où les habitants de Grenade passaient l'automne, la plus belle saison dans cette ville. La température y est douce, sans la chaleur étouffante de l'été ni le froid sec de l'hiver; les jardins sont encore en fleurs, il pleut rarement et le ciel est d'un bleu limpide presque tous les jours.

Le carmen

"On admet généralement que carmen signifie vigne et aussi treille, et par extension ce nom a été appliqué aux propriétés situées en ville comprenant une maison et un petit terrain planté de fleurs, de légumes, d'arbres fruitiers et d'ornement. Leur localisation sur les flancs des collines, à l'intérieur de la zone urbaine, et leur espace vital réduit, détermine une concentration de qualités. Cette extension limitée ne leur fait pas perdre cependant le côté agricole, conservé dans tous, plus dans un but plus sensitif que positif."

(F. Prieto Moreno, de son livre *Jardins de Grenade*)

"Il y a tant de maisons de morisques qui, bien qu'en partie cachées par la végétation des jardins, constitueraient une autre ville comme Grenade; elles sont petites mais toutes ont de l'eau et des roses, des églantiers et des myrtes, et elles sont très calmes..."

Pedro Mártir de Anglería. XVIè s

L'origine du carmen vient de la maison andalusí traditionnelle avec une cour, qui dans l'Albaicín devient un jardin-potager. Après la reconquête, les chrétiens y ont incorporé leur architecture tout en conservant le caractère semi naturel des espaces de végétation.

Dans tout l'Albaicín (ci-dessus) il y a côte à côte des carmens et des maisons plus modestes le long de rues au tracé sinueux. A droite une maison typique et le Carmen de los Capiteles.

Le jardin hispano-musulman

"Une maison entourée de jardins devra être située sur un terrain en hauteur, plus facile à garder. Le bâtiment sera orienté au midi et sur la partie la plus élevée du terrain il y aura un puits ou un bassin, ou plutôt une rigole qui serpentera entre les arbres et les plantes. Il faudra y planter des massifs toujours verts de toutes sortes de plantes agréables à la vue, et un peu à l'écart, des fleurs et des arbres à feuille perenne. Des pieds de vignes entoureront tout le jardin potager et, pour donner de l'ombre des treilles couvriront les chemins séparant les parterres. Pour les heures de repos, il y aura un petit pavillon ouvert entouré de rosiers grimpants, de myrtes et d'autres sortes de plantes. Il sera plus long que large pour ne pas fatiguer la vue. Dans la partie du bas, il y aura une pièce pour les invités. Un bassin sera caché par la végétation pour ne pas être vu de loin. Il faudra également construire un pigeonnier et une petite tour habitable. La demeure aura deux portes pour être mieux protégée et pour le repos du propriétaire.

Ibn Luyun.
Traité d'Agriculture et de Jardinage

D'après le professeur Manzano, le Généralife était à la fois un djennat, un paradis, et un potager ou jardin royal qui garantissait l'approvisionnement de la Maison Royale.
"En réalité, le potager n'est rien d'autre qu'un fragment de la nature, protégé par des murs qui séparent l'extérieur sec et souvent désertique, toujours hostile à l'homme, de l'espace intérieur. Ce dernier, est irrigué et ordonné de façon géométrique, planté d'arbres et de fleurs sélectionnés soigneusement afin de le rendre à l'image du djennat, ou paradis sur terre. "Il n'atteint pas la dimension des grands *Hairs* avec des réserves de chasse orientales des princes ommeyades qui existèrent également à Grenade et qui sont comparables à d'autres palais plus éloignés et situés audessus de la colline où se trouve le Généralife. Le potager royal, comme contrepoint au palais urbain, a existé dans toutes les cours des émirs, califats et petits royaumes taifas au cour de l'histoire de l'Islam espagnol".

Dans le jardin musulman le promeneur se sentait transporté par l'harmonie entre les fleurs, leur parfum, le son de l'eau et le goût des fruits cueillis au passage. C'était la "huerta", mot souvent difficile à traduire qui vient du latin hortus et qui désignait ce que l'on appelle maintenant tout simplement "jardin".

La Cour du Polo

Le chemin traditionnel de l'Alhambra vers le Généralife, par la Porte de l'Arrabal et une ruelle sinueuse et en côte longeant des murailles, débouchait sur un édifice avec une porte et un arc outrepassé. C'était la Cour de Polo ou Cour du Descabalgamiento (Descente de cheval). Actuellement, c'est la première que l'on visite dans cette partie du Généralife quand on y accède depuis les nouveaux jardins.

Aspect des nouveaux jardins près de la Cour.

Porte d'entrée

*La **clef** couronne la porte en arc ogival, détail qui annonce les espaces royaux.*

*Le nom "**Cour de la Descente de cheval**" vient de la supposition que cet endroit était probablement destiné à cela. Elle a un aspect de grande cour de ferme, très simple, couverte de treille et de rosiers. Il y a une fontaine-abreuvoir, un banc de pierre adossé au mur et un portique avec deux arcs (ancienne écurie).*

*La **cour suivante** est une sorte de seconde avant-salle décorée d'orangers avec une petite fontaine au centre. Derrière la porte du fond il y a un couloir avec des bancs pour la garde, car c'était des dépendances du service. Un escalier étroit avec de hautes marches, coudé, conduit à la Cour de la Acequia.*

Ici la porte, sans être monumentale, est couronnée par un linteau aux très belles mosaïques de ataurique (plâtre ciselé) dans des tons de bleu, vert et noir sur un fonds blanc.

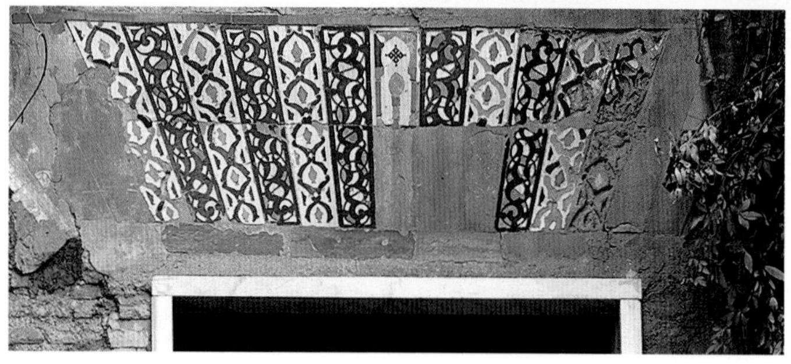

Cour de la Acequia

C'est une des parties les plus anciennes de ces palais et une de celles qui a subi le plus de transformations. Malgré cela c'est la zone qui conserve le mieux le style de jardin andalusí. A l'origine elle est conçue suivant le schéma habituel de cour en longueur avec un bassin placé au centre servant de miroir, les petites fontaines ont été ajoutées plus tard. Le mur Ouest n'avait pas d'ouverture sauf le petit mirador pour respecter la tradition de "paradis fermé", invisible de l'extérieur et replié sur lui même de toutes les constructions.

Toujours dans sa conception d'origine, l'eau versée dans le bassin par les deux petites fontaines situées à chaque extrémité produisait une fraîche rumeur, une douce musique -la plus agréable après le silence-, celle qui ne trouble pas la pensée. Le rationalisme du XVIIIè s. et surtout les romantiques du XIXè s. imposèrent leur vision et leur goût en transformant le silence sonore et l'écoulement naturel de l'eau en clapotement artificiel. Des bouches de fontaines qui auraient pu imiter la musique de la pluie ont été découvertes lors de la dernière restauration.

Foto original:
Kurt Peterkarfeld (1930)

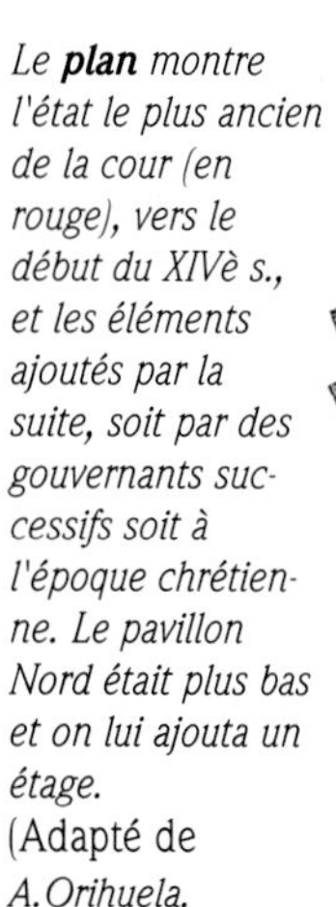

Le ***plan*** *montre l'état le plus ancien de la cour (en rouge), vers le début du XIVè s., et les éléments ajoutés par la suite, soit par des gouvernants successifs soit à l'époque chrétienne. Le pavillon Nord était plus bas et on lui ajouta un étage.*
(Adapté de *A.Orihuela.* Maisons et Palais Nasrides)

État du Patio de la Acequia après restauration en 2003.

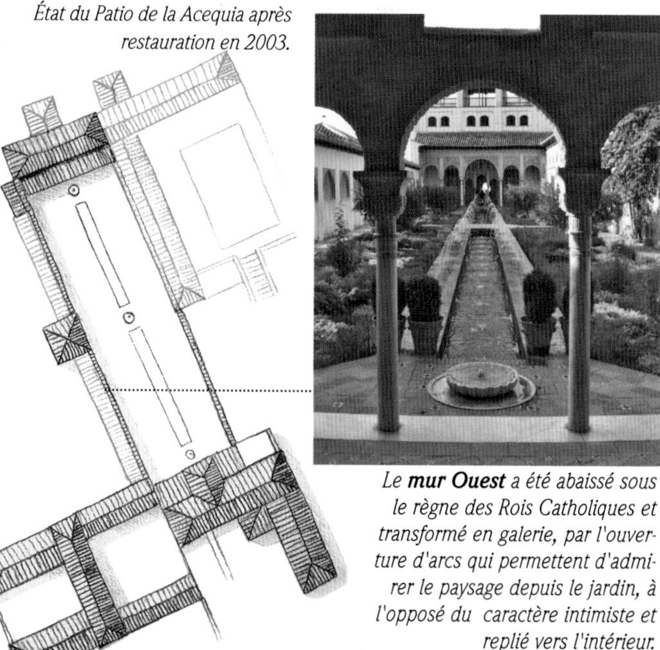

Le ***mur Ouest*** *a été abaissé sous le règne des Rois Catholiques et transformé en galerie, par l'ouverture d'arcs qui permettent d'admirer le paysage depuis le jardin, à l'opposé du caractère intimiste et replié vers l'intérieur.*

A l'époque, il n'était possible d'admirer l'extérieur que depuis le mirador central (à gauche), dont les murs présentent une décoration du règne d'Ismail I superposée à une antérieure de Muhammad III.

Sur ce relevé de Francisco Prieto Moreno on peut voir la disposition actuelle de l'ensemble.

Le côté nord, le mieux conservé, que nous voyons ici sur une image d'Asseline (1844), présente sur sa façade des arcs en plein cintre sur des chapiteaux de mocarabes. Celui du centre est plus élevé, suivi par trois autres aux mêmes caractéristiques. Cinq petites fenêtres sont ouvertes au-dessus.

Un poème sur fond bleu de lapis-laszuli (ci-dessous) encadre les arcs. Il fait allusion au roi Abul-Walid Ismail. La référence à l"année du grand triomphe de la religion..." situe la décoration en 1319.

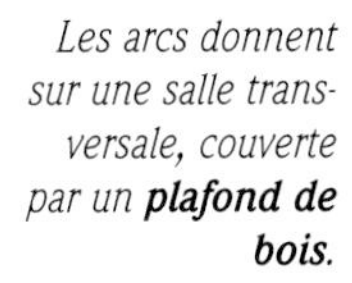

*Les arcs donnent sur une salle transversale, couverte par un **plafond de bois**.*

La situation de la salle au fond de la cour et la présence de niches pour l'eau rituelle (à gauche), permettent de supposer que cette salle était utilisée par le sultan pour recevoir

Un mirador domine la salle, ajouté à l'époque d'Ismail (1319), un peu orienté vers la gauche par rapport à l'axe central du bassin, comme on peut l'observer sur la photo. En réalité tout le pavillon est déplacé de quelques degré par rapport à la perpendiculaire de la cour.

Il est difficile de comprendre comment, pendant les mois de chaleur et même les heures les plus étouffantes de la journée, le mirador nord laisse passer une légère brise qui soulage de l'angoisse asphyxiant de la canicule. C'est sans doute en raison de la combinaison des éléments et des secrets que seul connaissait le maître d'oeuvre: la situation, la hauteur, l'orientation, parfaite dans toute l'Alhambra mais ici légèrement déviée par rapport à l'axe de la cour, précisément pour obtenir cette fraîcheur qui nous surprend autant aujourd'hui. Véritable leçon pour l'architecture du XXIè s. qui s'efforce d'intégrer la nature aux ambiances et de créer des microclimat même dans des espaces fermés pour soulager la pesanteur du béton et l'agressivité visuelle du ciment.

Cour du cyprès

On ne connaît pas exactement son aspect d'origine. Le bassin en forme de U n'est pas nasride car en 1526 Andrea Navaggiero, ambassadeur vénitien décrit la cour "comme un pré avec quelques arbres" arrosé régulièrement grâce à un ingénieux système d'entrée d'eau invisible. Elle est également appelée Cour de la Sultane car d'après la légende la sultane y rencontrait un prince Abencérage, situation qui provoquerait la tuerie de tous les hommes de la famille de ce prince.

Le Jardin du Haut

Délicieux exemple de jardin romantique, il a été tracé après l'invasion française sur une zone à l'abandon des jardins d'origine.

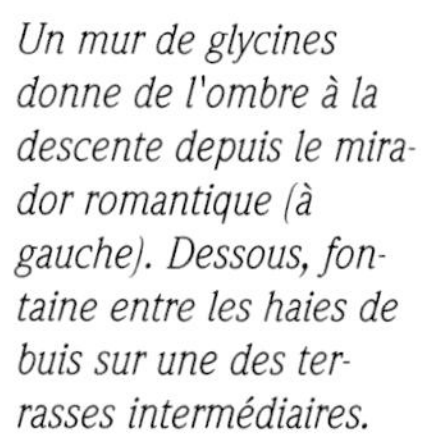

Un mur de glycines donne de l'ombre à la descente depuis le mirador romantique (à gauche). Dessous, fontaine entre les haies de buis sur une des terrasses intermédiaires.

Escalier de l'eau

C'est un des quelques éléments nasrides encore conservés dans cette zone. L'obsession pour l'eau va jusqu'au point de nous donner une rampe liquide. Si effectivement il y avait un oratoire plus haut, elle a pu servir pour les ablutions rituelles.

Mirador romantique

Imitation malheureuse datant du XIXè s. construit sur des murs existants dont la fonction est ignorée de nos jours, bien que l'on suppose, de par son orientation, qu'il y eut un oratoire. Tout près la acequia qui fournit en eau l'escalier entre dans l'enceinte. Curieusement, ce n'est pas celle qui arrosait le reste du Généralife, qui entrait plus bas directement dan la cour du cyprès. L'eau pour l'escalier provenait de la acequia supérieure, celle de l'Alhambra.

Le système hydraulique de l'Alhambra et du Généralife.

La situation de ces collines explique les raisons qui conduisirent à y construire l'Alhambra et ses palais. Il ne manquait que l'eau. Quand l'Alhambra devint une ville palatiale, Ibn Al-ahmar fit construire une acequia -la Acequia Royale- qui prenait l'eau à environ six kilomètres en amont de la rivière Darro et entrait par le Généralife.

***Vallée du Darro**. En amont de la rivière, près de la ferme Jesús del Valle, la acequia traversait la rivière au moyen d'un aqueduc et alimentait un moulin à farine aujourd'hui abandonné.*

Embouchure de la Acequia

Ancien moulin

Ferme Jesús del Valle

***Flanc Nord** de la Colline du Soleil (Cerro del Sol) où se trouve encore des vestiges de la acequia de l'Alhambra.*

Plateau de la Perdrix

Rivière Darro

Acequia Royale

***La Acequia a été dédoublée** par la suite pour maintenir une cote plus haute qui permette d'arroser les jardins potagers du Généralife.*

*Plus tard et lors de la construction de palais comme ceux de Dar al-arusa ou Alixares sur des cotes supérieures, de **nouvelles captations** furent construites comme des puits sur l'acequia Royale dans la partie élevée de la colline, des réservoirs d'eau de pluie, et un nouveau système d'acequias, malheureusement disparus de nos jours.*

Réservoirs d'eau de pluie

Dar al-Arusa

Généralife

Alhambra

Grenade

Avant de dédoubler l'acequia, un grand bassin, la galerie et les puits avaient été construits. Et, une noria permettait d'élever de nouveau l'eau de l'acequia primitive pour irriguer une plus grande partie de la colline du Généralife.

Lors de la construction de la seconde branche, le bassin devint un dépôt et centre de distribution d'eau. Torres Balbás et Francisco Prieto Moreno en ont réalisés d'autres près de celui d'origine. (á droite).

Grand Bassin
Emplacement de la noria
Puits 1
Puits 2
Puits 3
Acequia Royale
La acequia supérieure

La acequia de l'Alhambra bifurque pour descendre par l'Escalier de l'eau pour les ablutions.

Adapté de D. Pedro Salmerón Escobar et Maria Cullel

*La **acequia supérieure** abandonnait les grands bassins pour arroser les jardins potagers, et plus bas elle se divisait de nouveau pour rejoindre la branche inférieure et celle du Généralife. Ensemble elles traversaient l'aqueduc et entraient dans l'Alhambra. Ensuite elle devait suivre le tracé de la Rue Real pour arriver enfin à l'Alcazaba.*

Aqueduc par lequel la acequia entre dans l'Alhambra, au-dessus du fossé par où passe la côte de los Chinos. La Tour de l'Eau dont la fonction était de surveiller depuis ce point stratégique.

L'eau dans al-Andalus

L'agriculture était née en Orient, jardin et mythe du Paradis sur terre, idéalisé dans les traditions et transmis par les cultures les plus anciennes. Les Arabes, tout comme les Berbères, nomades assoiffés et héritiers de ces traditions, dominèrent comme personne les lois physique de l'irrigation. L'eau fut toujours le problème principal mais également la première solution, au point que son abondance détermina l'emplacement des campements pendant les invasions successives et les repeuplements.

La ***acequia*** *est le centre d'un système d'irrigation. Déviée d'une rivière au moyen d'une prise d'eau ou petit* ***barrage,*** *la acequia principale permet à l'eau de rester élevée par rapport au lit et de gagner ainsi de l'énergie potentielle. Des acequias secondaires se séparent de la principale. Les* ***bassins*** (albercas) *servent de réserves et de centres de distribution. La gravité et l'ingénieuse disposition du terrain en escaliers permettent à l'eau d'arriver à n'importe quel point de l'espace irrigué et de revenir au bout du lit de la rivière.*

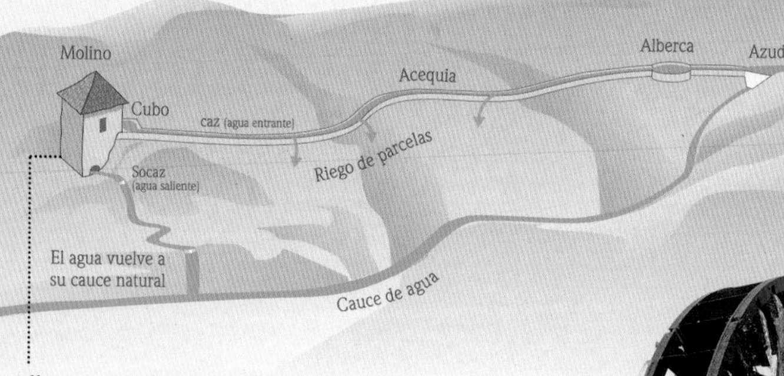

Des ***moulins*** *pour la fabrication de farine -blé, orge ou seigle- base de l'alimentation de ces communautés, étaient souvent situés à l'extrémité de la acequia principale où l'eau arrivait avec force. Une grande partie du territoire de al-Andalus conserve encore une infinité de vestiges des systèmes d'irrigation et des moulins d'origine andalusí.*

Noria d'origine arabe *d'Alcantarilla (Murcie). La noria peut servir pour élever l'eau, grâce à la force motrice animale ou pour obtenir cette force à partir de l'eau.*

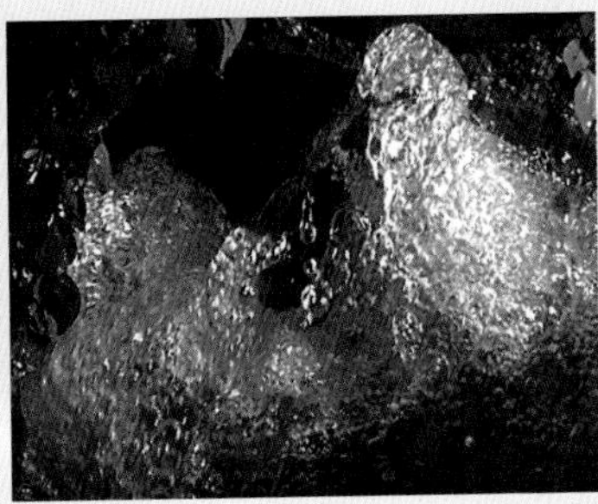

C'est surtout dans les villes que la préoccupation andalusí pour l'eau trouva sa plus grande dimension. On sait que, pour des raisons religieuses et d'hygiène, le musulman a avec l'eau une relation beaucoup plus étroite que celle du chrétien de l'époque. Pour boire, pour l'ablution rituelle ou le bain, il fallait que tous les habitants de la ville puissent accéder à ce bien précieux, et le pouvoir politique essaya toujours de créer les infrastructures nécessaires.

L'eau provenait principalement de sources -qui déterminaient l'emplacement de la population- et parfois de rivières et de puits.

Souvent, il fallait amener l'eau de loin par des acequias, comme celle d'Aynadamar, qui approvisionnait l'Albaicín depuis la source de Fuente Grande, à Alfacar (à gauche).

Les Arabes ont parfois restructuré des réseaux complexes de distribution à partir de vestiges hispanoromains. Acequias et galeries souterraines parcouraient la ville et débouchaient sur des fontaines publiques et des réservoirs ou dépôts. Ici, une partie du système d'approvisionnement de l'Albaicín où plus de vingt réservoirs couvraient les nécessités de la population.

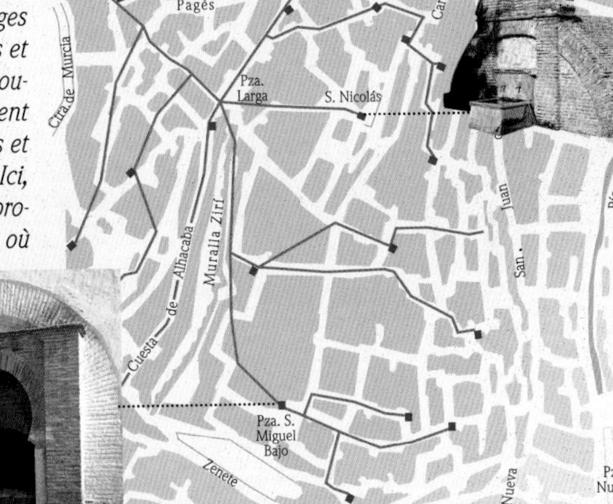

Aljibe de S. Nicolás

Aljibe de S. Miguel Bajo

De nombreuses maisons avaient leurs propres canalisations, construites avec des ***tuyaux*** *en terre cuite, et des réserves d'eau de pluie. Les familles plus humbles allaient à la réserve ou la fontaine publique et conservaient l'eau dans de grandes jarres à demi enterrées dans la cour. de leur maison.*

Les eaux résiduelles étaient directement déversées dans la rivière, si elle était proche, ou au moyen de canalisations. Les règlements de la ville établissaient des contrôles stricts sur les thèmes d'hygiène publique, le statut des vendeurs d'eau, et sur les quantités assignées aux quartiers et édifices.

Les Fleurs

Acanthe
Acanthus spinosus

Spirée
(spirea cantonensis)

Marronier d´Indes
Aesculus hippocastanum

Ronuncule
RanunculusAnomenopholius

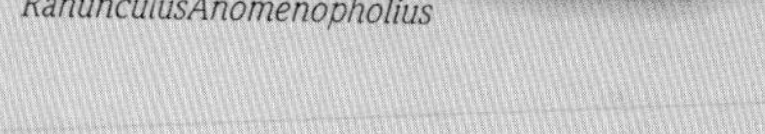

Sophora
Sophora japonica

Bougainvillée
Bougainvillea glabra

Clérodendron
Clerodendrum bugei

Hemerocallis et Lils des Indes
Hemerocallis dumortieri. Lagestroemia indica

Gerbera
Gebera jamessonii

Amaranthe
Celosia cristata

Veigelia
Weigelia Dierrilla florida

Romarin
Rosmarinus officinalis

Cognasiier
Cydonia japonica

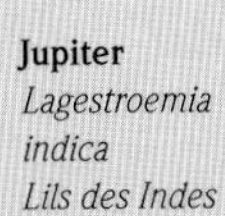

Jupiter
Lagestroemia
indica
Lils des Indes

Rose pon-pon
Rosier de banks
Rosa banksiae

Oranger amer
Citrus aurantius

Tamaris
Tamarix parviflora

Magnolia
Magnolia soulangeana

Magnolia grandiflora
Magnolia grandiflora

Plaqueminier, Kaki et Cyprès
Diospyros kaki,
Cupressus sempervirens

Nénuphar,
Lis d'eau
Nymphaea
ordorata

Corbeille d´argent
Iberis sempervirens (amara)

Vigne vierge
Ampelosis tricuspidata

Sauge
Salvia splendor

Marguerite africaine
Dimorphoteca aurantica

Amarantine
Gomphrena globosa

Chimonanthe précoce. Macassar
Chimonanthus praecox

Boule de neige
Vibumum opulus

Vue du Partal

Koélérie
Koelreuteria paniculata

Agapanthe
Agapanthus africanus

Rose
Rosa

Canne
Canna indica

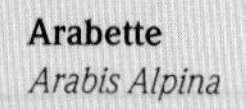

Arabette
Arabis Alpina

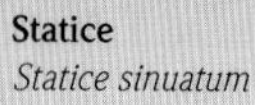

Statice
Statice sinuatum

Coronille
Coronilla glauca

Gaillarde
Gaillardia pulchella

Pétunia
Petunia hybrida

Pié d'alouette
Delphinium hybrid

Gaillarde
Gaillaria aristata

Verge d'or
Solidago canadensis

Glycine
Wisteria sinensis

Cestrum Cestrum
Cestrum purpureum

Le Généralife fut cédé pour son entretien au commandeur Hinestrosa par les Rois Catholiques. Après une série de successions, mariages, etc., il passa à la famille Grenade Venegas et finalement aux Marquis de Campotéjar, apparentés aux Grimaldi-Palavicini de Milan.

A gauche, Galerie Ouest du Patio de la Acequia. Ci-dessous, salle rectangulaire qui précède le mirador.

Après un très long procès entamé par l'Etat qui réclamait la propriété du Généralife, le litige fut résolu à faveur des particuliers. Ces derniers cédèrent alors gratuitement le Généralife à l'Etat espagnol en 1921. Alphonse XIII créa à cette occasion le marquisat du Généralife pour récompenser cette cession si généreuse.

Le temps et ses conséquences. *En comparant cette photo de 1999 avec celle de la page 156 ou 160 on remarquera la disparition des beaux arbres de la gauche: cèdres et cyprès arrachés par un orage en 1998.*

Alhambra alta
(Secano)

Le Secano c'est l'Alhambra disparue, les parties Sud et Est de l'enceinte, occupée à l'époque nasride par la Médina, dont il ne reste aujourd'hui que quelques vestiges et éléments isolés. C'était toute une ville construite à l'intérieur des murs, où il y avait des palais, des édifices administratifs et des demeures de soldats ou du personnel au service de la cour. Ateliers, bains, souks, se groupaient autour de la Mosquée, composant un ensemble riche et varié, véritable ville à l'intérieur de la ville.

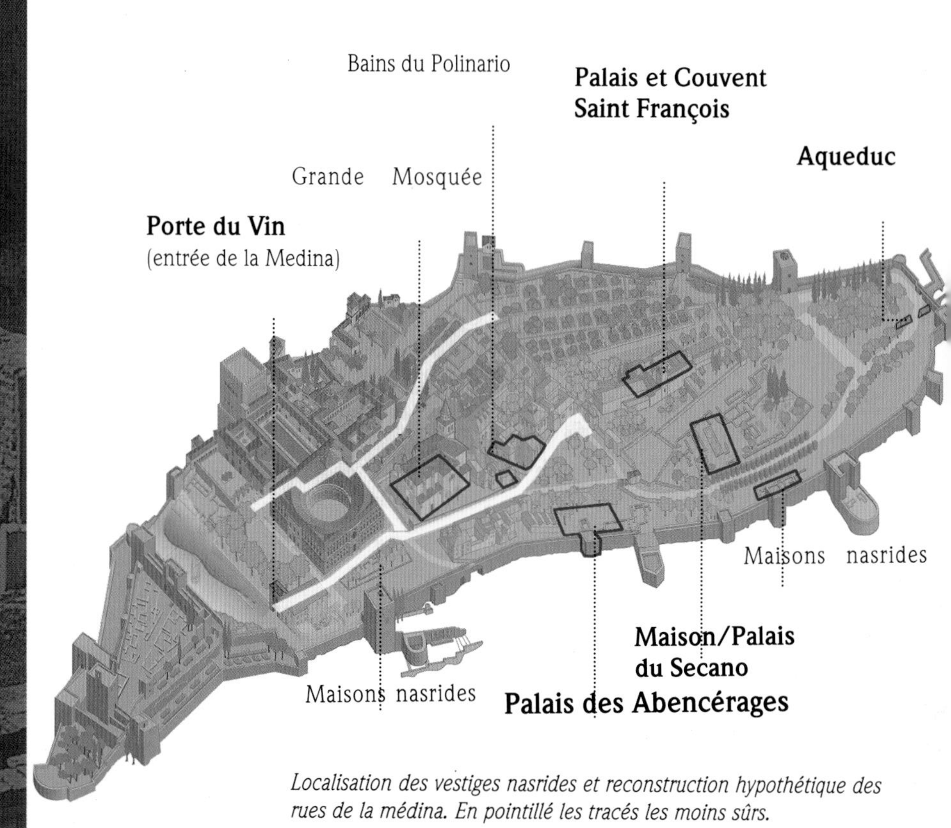

Localisation des vestiges nasrides et reconstruction hypothétique des rues de la médina. En pointillé les tracés les moins sûrs.

Rue Real. Les rues de la Médina.

La rue Real actuelle (à droite) suit en grande partie le tracé de l'ancienne rue Real Alta. Il a été modifié près du Couvent Saint François pour créer une petite place. A l'époque la rue commençait à la Porte du Vin et elle couvrait l'Acequia Royale de l'Alhambra. Elle passait entre des maisons, des palais, comme celui des Abencérages, et des Bains, celui du Polinario existe encore.

Eglise de Sainte Marie de l'Alhambra, construite sur l'emplacement de l'ancienne mosquée.

Palais dans l'ancien couvent Saint François

La Reine Isabelle fit construire un couvent franciscain (à droite) sur les ruines d'un palais du XIVè s. (oeuvre de Muhammad III ou de Yusuf Ier). Sa sépulture y fut déposée avant d'être transportée à la Chapelle Royale de Grenade. Très détérioré après l'expulsion des franciscains en 1835, Torres Balbás le restaura pour abriter les siège de la Résidence des Peintres Paysagistes en 1929. Il a été utilisé comme hôpital pendant la guerre civile et depuis 1942 c'est un Parador de Tourisme.

Le seul élément conservé est la qubba (ci-dessus) intégré au bâtiment moderne,un plafond d'entrelacs et un mirador.

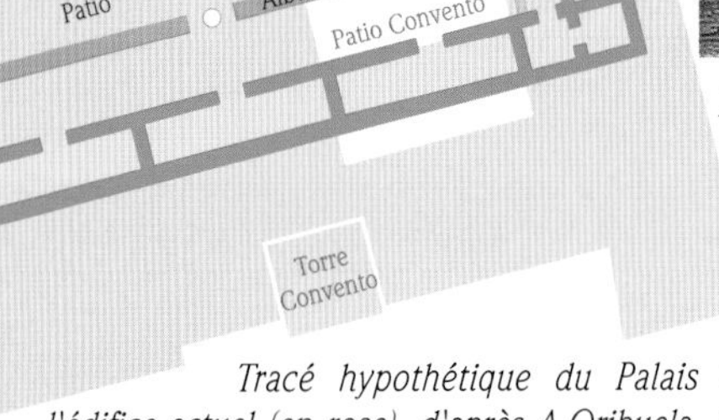

Tracé hypothétique du Palais nasride, superposé à l'édifice actuel (en rose), d'après A.Orihuela. Le bassin devait être la propre Acequia de l'Alhambra qui coulait ensuite sous la rue Real.

Palais des Abencérages

C'était un palais adossé à muraille à la hauteur de ladite Tour des Abencérages qui d'ailleurs en faisait partie car on y a retrouvé la qubla, la salle principale du palais. Sa construction date probablement de la fin du XIIIè s. ou du début du XIVè s. et il devait appartenir à la famille des Abencérages.

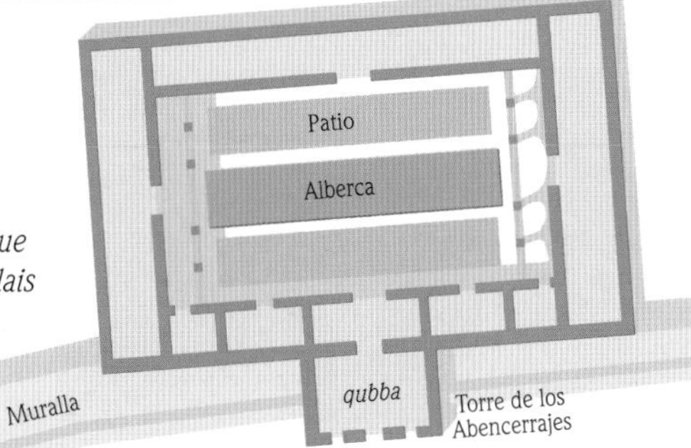

Reconstruction hypothétique d'après A.Orihuela. La présence de la tour rompt la symétrie longitudinale mais par contre elle rehausse l'axe transversal. L'ensemble formé par la cour et la qubba précédée d'une longue salle ressemble à la disposition du Palais de Comares (Cour-Salle de la Barque-Salon des Ambassadeurs).

 Promenade des Cyprès

Une promenade bordée de cyprès traverse le Secano; elle a été créée par Torres Balbás pour marquer le tracé d'une rue médiévale. Ce chemin relie les Palais Nasrides et le Généralife en dehors du Partal. De chaque côtés, les vestiges des constructions sont nasrides ou postérieures.

 Vestiges archéologiques du Secano

Les restes archéologiques de cette zone correspondent à: des maisons de l'époque nasride, des bains, des tanneries et des éléments plus modernes.

L'édifice le plus important semble avoir été un palais ou une résidence dont il ne reste que le bassin et la base de quelques murs (ci-dessous), visibles depuis la Promenade des Cyprès.

 La Acequia Real

L'Acequia Royale a été construite sous le règne d'al Ahmar, fondateur de la dynastie. Elle pénètre dans l'enceinte de l'Alhambra par le Sud, près de la Tour de l'Eau (à gauche) où il reste quelques vestiges de l'aqueduc qui traversait le fossé, aujourd'hui Cuesta de los Chinos. Ensuite elle continuait vers le Parador actuel après un grand bassin qui servait pour régler son débit. Comme cette zone est la plus élevée de l'Alhambra, il lui suffisait ensuite de suivre la pente pour arriver à tous les points de la ville princière.

Palais de Charles V

Le Palais de Charles V est certainement un monument polémique et incompris mais toujours qualifié d'exceptionnel. D'après les topiques de l'époque romantique c'est la représentation de l'action des terribles monarques espagnols pour effacer le passé musulman. L'histoire, cependant, révèle toute la valeur de symbole que la monarchie espagnole voulut donner à la reconquête de Grenade et l'"intention politique" de renforcer par de grandes constructions royales le rôle de capitale qui avait été le sien pendant des siècles. Il ne s'agissait pas de détruire l'ancien mais de venir s'ajouter aux splendeurs passées.

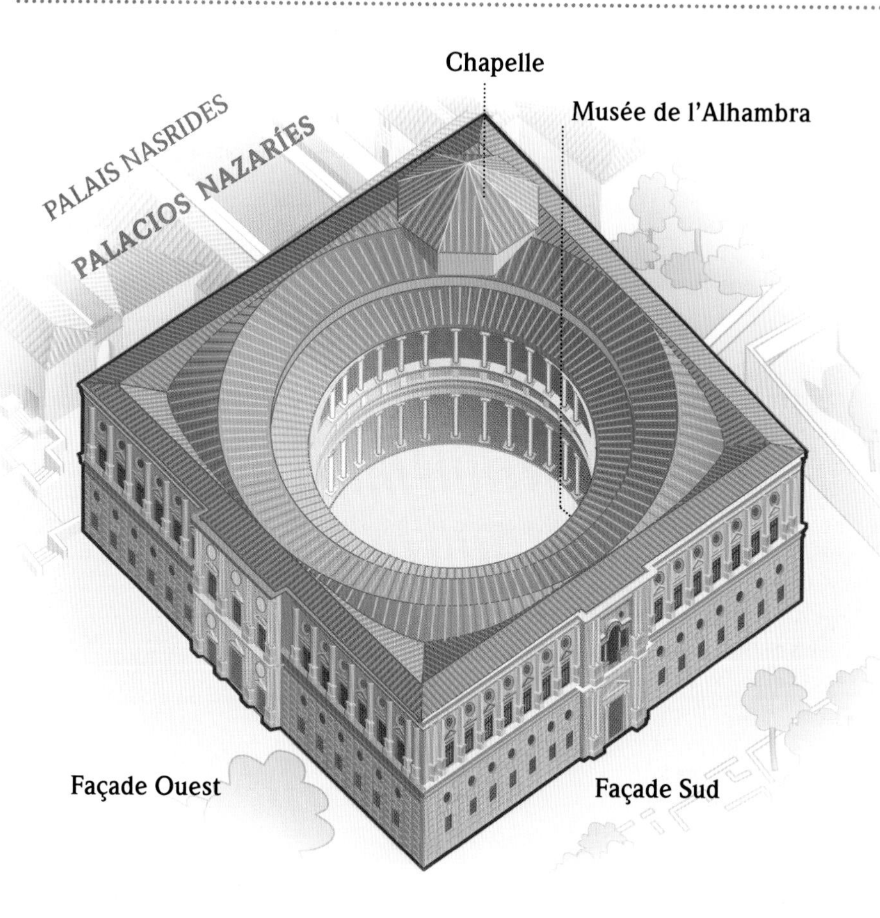

Le Palais fut construit sur un quartier chrétien. Son tracé modifia très légèrement le schéma de l'enceinte de l'Alhambra, et c'est dans le contexte de celle-ci qu'il faut situer les raisons d'un projet à la fois si radical et si nouveau.

Sans le Palais, l'Alhambra n'aurait pas été intégrée au patrimoine des Palais Royaux d'Espagne et aurait été considérée comme un simple témoignage archéologique d'une culture vaincue.

A Grenade, les Rois Catholiques avaient déjà fait construire une chapelle funéraire, la Chapelle Royale que l'Empereur Charles V fit agrandir. Lors de son voyage de noces avec l'Impératrice Isabelle en 1526, il visita l'Alhambra et occupa des salles appelées depuis "appartements de Charles V". C'est à cette occasion qu'il exprima le désir d'agrandir l'ancienne enceinte nasride pour la rendre apte à recevoir une cour moderne. Il chargea donc le marquis de Mondéjar, homme de confiance et gouverneur de l'Alhambra, de la construction du Palais. Le marquis avait déjà contribué, depuis Tolède, à faire connaître le nouvel art Renaissance en Espagne. L'Empereur, peu intéressé par les travaux, préféra en déléguer l'exécution à des personnes de confiance. On ne peut donc pas parler d'un "style Charles V". Le palais reprendra le style Renaissance en vogue en Italie, auquel l'Andalousie, grâce à la double influence de Séville, - centre du commerce avec les Indes Occidentales - et de Grenade- capitale symbolique de la lutte de plusieurs siècles face au monde islamique - était spécialement réceptive. Cependant il restera comme symbole d'un règne qui commença avec force et qui n'a jamais été achevé. La rébellion des morisques, sur lesquels retombait le financement du Palais, ruina le royaume de Grenade, presque pour toujours, ce qui empêcha le développement complet du projet.

Portrait de Charles V

La toiture n'a été réalisée qu'en 1960.

Nous retrouvons des tracés similaires antérieurs: **"San Pietro in Montorio"** *à Rome et sa cour circulaire (voir plan publié par Serlio ci-dessous),*

Pedro Machuca, chargé des travaux, possédait une solide formation italienne après avoir travaillé à Rome avec Michel Ange et Raphaël. Il connaissait donc les aspects théoriques des créations les plus élaborées de la Renaissance.

La preuve en est le choix du plan, très singulier, d'une cour circulaire inscrite dans un carré qui reprend les aspirations les plus profondes du dessin depuis Alberti.

celle de la **"Villa Madama"** *de Raphaël ou les dessins de Léonard de Vinci.*

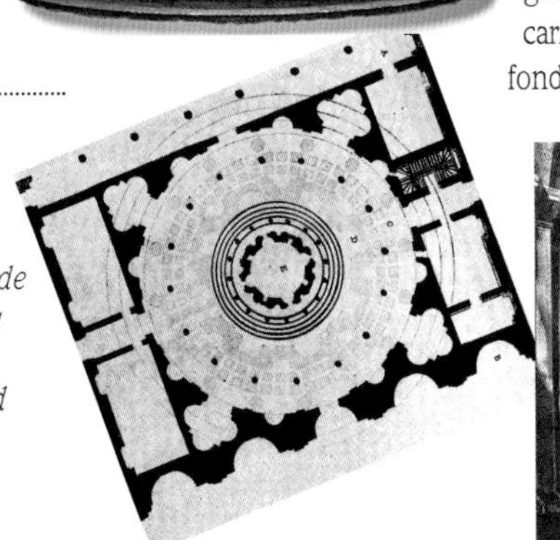

A la mort de Machuca en 1550, son fils Luis lui succéda et plus tard Juan de Orea qui dut se soumettre aux directives de Juan de Herrera pour la réalisation des escaliers et de la partie supérieure de l'entrée principale, cette étape fut terminée par Minjares

Toutes les sculptures, oeuvres de Niccolao da Corte, Juan de Orea et Antonio de Leval apportent un message impérial à la ville autour de la figure de l'empereur, le César.

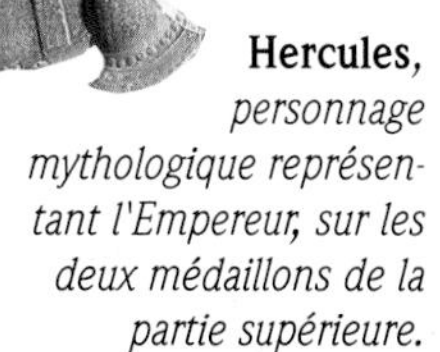

Hercules, *personnage mythologique représentant l'Empereur, sur les deux médaillons de la partie supérieure.*

Bataille de Pavie, *oeuvre maîtresse du sculpteur italien Niccolao da Corte.*

Les fenêtres *alternent tracé rectangulaire et ouvertures circulaires, aux deux étages, pour revenir ainsi au jeu linéaire dominant dans le goût Renaissance.*

Des **colonnes ioniques** *sur piédestal sculpté donnent un certain équilibre, avec légèreté et verticalité, au bossage.*

Colonnes doriques *de l'étage inférieur.*

Bossage rustique, *très italien, qui souligne l'horizontalité de l'ensemble.*

La **Renommée,** *la* **Victoire,** *la* **Fécondité***: les personnages féminins de la porte Sud.*

La Victoire

Le Palais a de grands salons latéraux, sauf au NO où se trouvent la Chapelle et la Crypte (voir page 76)

La Chapelle était, sans aucun doute, la pièce la plus soignée par Charles V, car le 30 novembre 1527, en recevant le projet, il écrit: *"Je veux seulement vous dire que la première doit être grande et avec une chapelle"*.

Sur ce plan, la Maison Royale apparaît déjà comme un agrandissement théâtral des anciennes habitations de l'enceinte nasride.

Le blason de Philippe II préside la façade.

Bas relief *sur le piédestal des colonnes.*

L'intérieur, avec la cour de trente mètres de largeur et quarante deux mètres de diamètre, se caractérise par une totale sobriété et dénuement: deux étages avec des arcs déprimés d'ordre dorique et toscan et l' escalier principal qui rejoint la magnifique voûte circulaire du vestibule.

La solution de l'architrave est complètement originale et crée un parfait rapport de forces et de résistances entre les deux éléments qui le composent. Cet anneau repose sur un tore parfait qui supporte la poussée de la pierre vers l'extérieur comme un pont dont un des piliers s'appuie sur l'anneau et l'autre sur le mur. Quand ce mur est affaibli par une porte -comme du côté Ouest- on lui ajoute la force d'un mur extérieur au moyen d'une voûte ou de contreforts d'un autre genre.

A l'origine, le projet présentait des places avec arcades sur les façades Est et Sud du palais, mais elles n'ont jamais été réalisées. Inachevé à l'époque et jamais utilisé par son constructeur, il abrite aujourd'hui le Musée de l'Alhambra et des spectacles y sont organisés pendant le Festival de Musique et de Danse.

Le musée de l'Alhambra

Au cours des dernières années du XXè s. les pièces du Musée Hispano musulman ont été installées dans les salles du rez-de-chaussée du Palais de Charles V pour créer le nouveau Musée de l'Alhambra: le célèbre vase des Gazelles, la porte d'origine de la Salle des Deux Soeurs, des plafonds à caissons, céramiques, chapiteaux, pierres tombales et une belle collection de pièces très intéressantes qui aident à comprendre la vie quotidienne de l'Alhambra. La visite de ce musée, fermé le lundi, est réellement très intéressante. L'entrée est gratuite.

Le musée des Beaux-Arts se trouve au premier étage: oeuvres provenant de la désamortisation (1835) dont le Cardo de Sánchez Cotán, des oeuvres de Siloé et des pièces maîtresses de l'Ecole de Grenade.

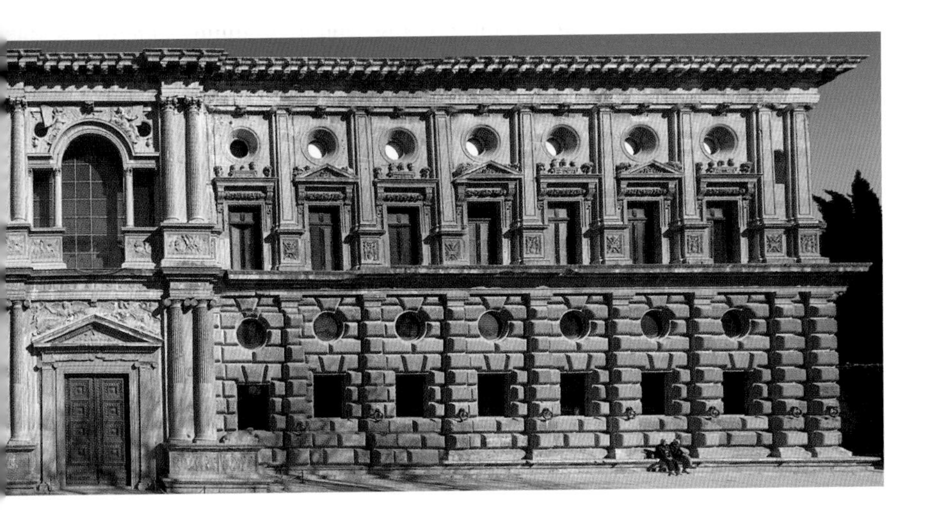

Bibliografía

AZNAR, F. *Al-Ándalus*, Anaya, s.a. Madrid, 1992

BERMÚDEZ PAREJA, Jesús. *La Casa Real Vieja.* Albaicín/Sadea. Granada

BORRÁS, Gonzalo M. Anaya. Madrid 1989.

BURKHARDT, Titus. *La civilización hispano-árabe.* Alianza, Madrid, 1985.

CABANELAS RODRÍGUEZ, D. Darío, *El techo del Salón de Comares.* Patronato de la Alhambra y el Generalife. Granada, 1988.

GÓMEZ MORENO, D, Manuel *Guía de Granada,* Granada1892.

GRABAR, Oleg. *La Alhambra: iconografía, formas y valores.* Madrid, 1980. Alianza Editorial, S.A.

MANZANO, Rafael. *La Alhambra.* Anaya. Madrid, 1992.

ORIHUELA UZAL, A. VÍLCHEZ VÍLCHEZ, C. *Aljibes Públicos de la Granada islámica.* Granada. Ayuntamiento de Granada,1991.

ORIHUELA UZAL, A. *Casas y Palacios Nazaríes. Siglos XIII-XV*. Lunwerg editores. Barcelona, 1996.

PRIETO MORENO, D, F. *Los jardines de Granada,* Madrid 1983, Patronato Nacional de Museos.

SALMERÓN ESCOBAR, D. PEDRO, *La Alhambra, estructura y Paisaje.* CG de Ahorros de Granada. E. Ayuntamiento. Granada, 2000.

SECO DE LUCENA, D. Luis *"La Alhambra, cómo fue y cómo es".* Granada 1935.

VARIOS AUTORES. *El enigma del agua en al-Ándalus.* Barcelona, 1994. Lunwerg editores, S.A.

VARIOS AUTORES. *La casa hispanomusulmana. Aportaciones de la arqueología.* Granada, 1990. Publicaciones del Patronato de la Alhambra y el Generalife.

VARIOS AUTORES. *La imagen romántica del Legado Andalusí.* Barcelona, 1995. Lunwerg editores S.A.

VARIOS AUTORES. *Plan Especial de protección y reforma interior de la Alhambra y Alijares.* Granada, 1986. Consejería de Cultura, Junta de Andalucía; Ayuntamiento de Granada; Patronato de la Alhambra y Generalife.

_ 2189 bis.— La antigua Alhondiga ó Casa del Carbon.
J. Laurent y Cia
Es propiedad